Nature Wonders　Youth Edition
国际科普大师丛书（青春版）● 博物篇

疯狂的进化

动物世界的奇葩物种
和它们的生存绝技

THE WASP
THAT
BRAINWASHED
THE
CATERPILLAR

Evolution's Most
Unbelievable Solutions to
Life's Biggest Problems

〔美〕马特·西蒙
(Matt Simon) /著

吴勐/译

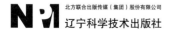
北方联合出版传媒（集团）股份有限公司
辽宁科学技术出版社

著作权合同登记号：图字 01-2018-2031 号

图书在版编目（CIP）数据

疯狂的进化 /（美）马特·西蒙著；吴勍译.
沈阳：辽宁科学技术出版社，2025.1. --（国际科普
大师丛书：青春版）. -- ISBN 978-7-5591-3958-0

Ⅰ. Q951-49

中国国家版本馆CIP数据核字第2024RE9562号

出 版 者：辽宁科学技术出版社
　　　　　（地址：沈阳市和平区十一纬路25号 邮编：110003）
印 刷 者：大厂回族自治县德诚印务有限公司
发 行 者：未读（天津）文化传媒有限公司
幅面尺寸：889mm×1194mm，32开
印　　张：8
字　　数：164千字
出版时间：2025年1月第1版
印刷时间：2025年1月第1次印刷
选题策划：联合天际
责任编辑：张歌燕　马　航　于天文　王丽颖
特约编辑：边建强　杨梦楚　王羽翯
美术编辑：冉　冉
封面设计：typo_d
责任校对：王玉宝

书　　号：ISBN 978-7-5591-3958-0
定　　价：36.00元

目录

作者介绍

马特·西蒙（Matt Simon），《连线》（*Wired*）杂志科普作家，专攻动物学，尤其了解那些奇异的物种。他是为数不多的见过传说中美西钝口螈交配仪式的人，且书中记载了目击经过，望读者喜欢。

赠言

献给小时候被我扔在树叶上冲进下水道的蚯蚓。这种事一点儿也不好玩。我那时候不懂事，我很抱歉。

还有我的家人。不是说我把他们也扔在树叶上冲进下水道了，我是想说，我也要把这本书献给他们。

序言

我们得聊聊蜂类昆虫。我说的可不是你小时候,经常在夏日吓唬你的那种黑黄相间的小家伙,它们都不值一提,真的。我想说的是下面这样的生物,其排名不分先后:它们身上长着厉害的螫针,一位被螫针蜇过的科学家建议,万一被蜇,宁可倒地大叫,挨到痛楚退去,也不要慌张逃窜,以免伤上加伤。它们会将毒针刺入蟑螂大脑,再拖着"僵尸"凯旋,在猎物死前让幼虫们大快朵颐;它们会把自己的卵注入毛虫体内,孵化出的幼虫就能从内部活活吞掉这只名副其实的"可怜虫"。蜂类昆虫虐待其他生物的能力堪称绝无仅有,它们如此残暴,连查尔斯·达尔文(Charles Darwin)都宣称,一个慈爱的造物主绝不会设计出这样的生物。

但其实,在动物界,正如那句俗话所说,"生活艰难,等待你的只有死亡"。生存在世,随时命丧黄泉也是常有的事,几十亿年来都是如此。对大部分生物(除了人类)来说,平和、舒适地寿终正寝是不可能的,每时每刻,总会有动物竭力避免成为别的动物嘴里的美餐——我向你保证,此时此刻在世界的某个角落里,准有某种东西的体内藏着蜂类的幼虫,而它正被那些幼虫从里到外蚕食着——更别说来自动物的攻击了,就连大树都有可能倒下来砸死你——那可是大树啊。

大自然并不在意死亡和苦楚,但这些却会搅扰我们人类的心情。我们不喜欢想象动物世界中捕食者对猎物大快朵颐的场景,这种画面实在是不怎么得体。但说实话,这已经超越了所谓的"得体",这种画面其实相当优美。地球上多样的捕食者和猎物正是生物进化的精彩之处,这种辉煌的进化已经持续了上千万年。从数亿年前的单细胞生物体开始,到后来席卷全球的生命大爆发,生物之间其实并不总是相处得那么融洽。而且,地球生物要担心的也并不仅仅是彼此——恶劣的气候、洪水、飓风、陨石……个个儿都不是省油的灯。

简单地说,动物们的生活绝不安逸。但究其核心,进化是解决地球上问题的最重要力量,可进化本身也会制造各种麻烦。这就让动物界的那些事变得有些……复杂了。

举个例子吧,动物界有一种"僵尸蚂蚁"。它们生活在南美洲的热带雨林,出生时本是正常的蚂蚁,和伙伴们一起沿着栖息地的小径觅食。可就在不知不觉间,它身上多了一名乘客——一种真菌的孢子。这种真菌孢子黏附在蚂蚁的体表,然后一路深入,掌控寄主的大脑和思维。在蚂蚁的大脑中,孢子会释放化学物质,夺取蚂蚁大脑的控制权,在一天中特定的时间,驱使它离开栖息地,爬到特定高度上一片叶片的背面——时间和高度都正好最适宜真菌生长。寄生孢子指挥蚂蚁咬住叶脉,然后将其杀死,从蚂蚁脑后迸裂而出,撒向那个地方的蚂蚁栖息地,开始新一轮的循环。

首先,我要声明,这些事全不是我瞎编出来的("僵尸蚂蚁"的光荣事迹将出现在第四章)。其次,大自然创造和解决问题的方式其实相当瘆人。本来,真菌依靠风力即可扩散其孢子,可茂密的雨林中没有风,所以经过上百万年的演化,真菌找到了一个办法——把蚂蚁当成运输工具。而蚂蚁也有解决这一问题的方法:它们会本能地抓住病恹恹的个体,把这些"病号"逐出蚁穴,赶到一片集体墓地去。然而,反过来真菌又找到了新对策:它们操纵僵尸蚂蚁离开蚁穴,这样就能掩人耳目。如此这般,一方进化出新的侵略方式,另一方就进行防守,就这样过了一年又一年,甚至一个又一个百万年。道高一尺,魔高一丈。

这种问题和对策的博弈甚至还会给某些生物在两性之间挑起冲突，好像光担心捕食者和"洗脑"真菌还不够刺激似的。你懂的，雄性与雌性在交配这件事上的品位并不对等。雌性但凡会动，雄性就会感兴趣，而雌性只能更加挑剔。因此，"精虫上脑"的雄性之间就会爆发争斗。举例来说，在这方面，一种雄性蟾蜍就做得特别极致。它们为了争夺交配权，演化出了一种胡须武器。就连雌雄同体的物种——比如某些海扁虫——也不会放过同胞。两只海扁虫相遇交配之时，哪一方都不想作为母体怀孕产子。怎么办呢？对策很简单——来一场"阴茎击剑"（penis fencing，这些内容会出现在第一章，我猜你已经迫不及待了吧）。

那么，究竟是什么东西在动物界挑起了这些争端？是整个生态系统的体制？——没错，整个系统。准确地说，是查尔斯·达尔文提出的自然选择学说（natural selection）：生物必须竞争，为了食物和水，偶尔还要为了庇护之所；除了与其他物种竞争，还要在种内进行竞争。DNA复制的过程中会发生错误，在每个子代体内，父母双方基因也有独一无二的组合方式，这些因素使生物的每个个体都不尽相同，而食物又往往不充足，不能保证每个个体的存活。如果活下来的个体拥有帮助它们赢得资源的"幸运"基因，它们就能繁育后代，把有利的基因传承下去，延续种族的血脉。

食物只是竞争的诱因之一。一些优势个体也许比同胞跑得更快，它们就能逃脱捕食者的追捕，存活下来延续基因；那些对严酷的环境适应性更强的个体，便能存活下来延续基因；那些拥有漂亮羽毛或出众舞姿的个体，更能吸引异性的眼球，它们就能赢得交配的权利，将基因传播下去。猎手与猎物之间、兄弟与姐妹之间、性感的雄性与妩媚的雌性之间，竞争无处不在。某种生物也许会占得生存的优势，但相对于每种"优势"，又总会有其他生物拿出"对策"。

不同的动物也有不同的方式来处理弱点，为生存问题寻找对策激发出了它们无尽的潜能。凡此种种都在证明，在地球生物存在的数十亿年里，进化制造了许多问题，但也找到了无数解决办法。道高一尺，魔高一丈，问题与对策相互博弈。而在这个过程中，生物的进化又经常向着别致而奇怪的方向发展。本书将带你一览那些生物圈里最独特的"怪胎"，你可以把这本书当成一本动物寓言故事集。而且，书中的这些动物没有一种会被大树砸死。那么会死于穷凶极恶的真菌之手？说不定，但大树，绝不可能。我敢保证。

The Wasp
That Brainwashed
the Caterpillar

第一章

你确定、一定以及肯定
要交配

在本章中，宽足袋鼩奋起交配，直至双目失明、精尽而亡；海扁虫用阴茎前戳后刺，相互缠斗。

　　你喜欢嘿咻之事，这没什么，每个人都喜欢——每种生物都喜欢——因为这是生物存活必需的。这是我们存在于这个星球上的原因：将自己的基因传递给下一代。你把俗套的搭讪台词背了个烂熟，或是为此特地去做了个新发型，要是你敢于表白，还可以双管齐下。这没什么好羞耻的，就算你调动全部的想象力，你也想不到，动物世界中"床笫之欢"的尺度比人类的还是要大得多。举个例子吧，我猜，你在床上从没疯狂到精尽人亡吧？我就这么一说。

宽足袋鼩

问题：任何生物存活于世的唯一原因就是要生孩子。可是交配产崽的压力也很大呢。

对策：有袋目动物——宽足袋鼩的雄性个体会在连续三周的时间里和能找到的每一位雌性进行交配，直到它们开始脱毛、内出血、双目失明、精尽而亡……

生命的意义，我懂。大声说出来还是需要勇气的，不过我真的懂。生命的意义正如下所言：

无尽狂欢。无尽狂欢。

人类给生命的存在想出了一大堆哲学奥义，而在人类出现之前的 38 亿年生命史中，地球生命有且仅有一个目标——繁殖。这些生命的次要目标是：吃上足够的粮食，维持繁殖的动力；别被当成粮食，保证繁殖的继续。

澳大利亚有种长得像老鼠的有袋目动物，名叫"宽足袋鼩"，没有其他动物比宽足袋鼩更执着于这个目标了。雄性宽足袋鼩交配的频率如此之高，交配的对象如此众多，一刻也不肯停歇，最终导致每一只都不得善终。但它们的死亡可不像突发心脏病那么迅速。不行，不行，那可太简单了。它们都是名副其实的"精尽而亡"——精尽而亡的宽足袋鼩感受不到痛苦。正当雄性宽足袋鼩还在蹦跳着四处风流的时候，它们的体内开始出血，免疫系统逐渐衰竭，背上的毛开始脱落，最后甚至还会双目失明，但这些都阻碍不了它们求欢的脚步。即便世界陷入黑暗，宽足袋鼩依然会坚决地搜寻异性，直到生命的最后一刻——活脱脱的交配僵尸。

这一切背后的奥秘就是海量的睾酮。交配季节到来时，雄性宽足袋鼩体内的激素水平直线飙升。你要想提高性欲，这倒不失为一件好事，可在这种条件下要还想维持情绪稳定和身体健康，就没那么容易了。往好的方面看，大量的睾酮扰乱宽足袋鼩体内的糖类代谢，能让它们三个星期不吃不喝，专注交配，甚至连续"嘿咻"14个小时。同时，睾酮的分泌也会让宽足袋鼩释放大量的应激激素——皮质醇。皮质醇能进一步提升能量水平，但随之而来的就是严重的副作用，比如内出血、脱毛和失明。

不过，在如此这般的狂欢中，雌性宽足袋鼩到底扮演了什么样的角色呢？难道它们就只会容忍这帮蠢蛋，任由它们跑遍整个森林胡搞乱搞？嗯……就是这样。但雌性宽足袋鼩手里其实握有更大的控制权。说实话，在宽足袋鼩的进化历程中，这出闹剧也许压根儿

你叫"possum"，我叫"o-possum"，

就因为我是美国人，好气人哦

澳大利亚被称为"有袋动物（比如宽足袋鼩）的家园"，但在美洲生活的有袋动物其实数量也不少。美国唯一的一种有袋动物是负鼠（opossum），英文名字的开头有个字母"o"。准确地说，名字开头没有"o"的负鼠（possum）是澳大利亚的本土种群。其实，有袋动物很有可能起源于美洲。6000万年前，当澳大利亚和美洲大陆还连在一起的时候，它们一路跨过南极，迁徙到了澳大利亚。我倒不是想为美洲正名什么的，就是陈述一下事实。

就应该归咎于雌性。

宽足袋鼩喜食昆虫。对澳大利亚的食虫动物来说，春季正是大饱口福的最佳时节。每到春季，所有昆虫的数量都会激增。也正是在春季，有袋动物会选择繁衍下一代，因为地上有无数爬来爬去的食物。不过它们的新生儿并不会食用昆虫，正相反，这些食物是给妈妈们准备的。与其他种类的哺乳动物相比，宽足袋鼩的新生幼崽的发育尚不完全。其他哺乳动物的幼崽，比如马，出生就能下地奔跑（其实说是跌跌撞撞地爬比较合适，不过你懂我的意思）。因此，有袋动物的幼崽还需要极长的一段时间继续吮吸母乳，成长发育。和考拉、袋鼠的情况一样，宽足袋鼩为数不多的几只幼崽会端坐在母亲的育儿袋中，育儿袋就像挂在雌性腹部的一只大碗。为孩子们产奶消耗了宽足袋鼩母亲大量的能量，而昆虫正好可以补充能耗。在进化的历程中，似乎雌性宽足袋鼩缩短了哺乳期，以期幼崽断奶、下地生活的时间能与昆虫数量暴增的时间同步，从而保证幼崽有更高的存活率。

而这，又进一步保证了与雌性交配过的所有雄性宽足袋鼩的死亡。当然，不是说雌性宽足袋鼩谋杀亲夫。在数百万年里，雄性宽足袋鼩必须适应并解决哺乳期缩短的问题，它们必须在尽可能短的时间内，产生尽可能多的精子，搞定尽可能多的雌性。与其身体的体积相比，宽足袋鼩的睾丸极大。在进化过程中，雄性宽足袋鼩找到了应对短暂哺乳期的策略，即与众多雌性共赴云雨。

让雌性和雄性进化出某种"敌对"的关系，这一切听起来也许与物种的存活背道而驰，但其实并不是这样。雌性宽足袋鼩只是对雄性的要求高了一些而已。没错，在那三周交配期里，它们会与一群雄性纠缠不清，虽然不能像雌孔雀凭借羽毛的华丽程度甄选伴侣一样挑剔，但由于最健康的雄性能产生最大量的精子，只有最优质的雄性才最有可能让雌性受孕。雌性宽足袋鼩通过自己的办法为后

六英寸阴蒂内的冒险

鬣狗在交配后选择精子的行为更加主动。鬣狗姑娘的阴蒂足有6英寸（约15.2厘米）长，外形看起来和雄性的阴茎毫无二致。鬣狗交配时，雄性会将阴茎插入雌性的"阴茎"中。生物学家注意到，对雄性鬣狗来说，交配这件事还颇有技术含量。要是鬣狗姑娘看不上鬣狗小伙儿，它可能还会利用这条体积可观的阴蒂将精子冲走，随着尿液排出体外。纵观历史，这一切给鬣狗赢得了个"性变态"的名声似乎也在情理之中。欧内斯特·海明威（Ernest Hemingway）曾经这样描写过一只名叫"菲西"的鬣狗："雌雄同体、自相残杀的食腐动物，追赶产崽的母牛，扯断它们的腿筋，也许还会在夜里趁你睡着的时候撕掉你的脸。"

天哪！瞧海明威说的。他还有不抱怨的时候吗？

代"选择"了最佳基因。再说，雌性宽足袋鼩一胎可能会生下不同男伴的孩子，如果生下的幼崽数量多过母亲乳头数量的三倍，就只有最强壮的幼崽才有机会抢得乳汁，而剩下的，只能带着从父辈遗传来的劣等基因命丧黄泉。

在人类看来，这些场面无情无义，但生命就是这样一路发展而来的。查尔斯·达尔文在1859年提出了以自然选择学说为基础的进化论，生命就是在这个理论支配下的一幅残忍画卷。在进化论中，自然选择学说尤为重要。在达尔文的时代，博物学家已经开始意识到物种会发生变化，他们将这种现象称作生物的"演变"。达尔文的惊人发现揭示了其中的机制：生物普遍会生下多于环境容纳量的后代，这些后代在性状上各不相同，只有拥有更加适应环境的、有利变异的个体，才能生存下去，继续繁衍，传递"有利的"基因。这就是物种进化、适应环境和捕食者的方式，其必然结果是，无数无法适应环境的生物将在进化过程中被淘汰。

从宽足袋鼩的角度讲，它们似乎并不在意什么进化不进化。它们只为实现生命的意义而活：想尽一切办法交配，就算赌上性命也在所不惜。况且，雌性宽足袋鼩的寿命也就那么几年，所以雄性以这种自杀式的繁殖方式留下后代倒也算不上有什么太大的损失（雄性宽足袋鼩没有一只能活过一岁，它们都是在上一个交配季节之后出生的）。宽足袋鼩小伙儿搞定了几十个姑娘，理想状况下，最起码也会有一个为他传宗接代。生命的意义实现了，小伙儿永远闭上了眼睛，留下姑娘们准备负起真正的责任。

鮟鱇

问题：你以为在酒吧里邂逅真爱很难？来荒芜的深海里试试吧。

对策：当又瘦又小的雄性鮟鱇找到异性——一位比它重上50万倍的姑娘时，它绝不会轻易放手。不管异性在哪里出现，雄性鮟鱇都会紧紧咬住它，将自己的脸融合进对方的身体组织，然后终其一生在另一半身上释放精子。

先别急着可怜宽足袋鼩，因为在深海中还有一类动物，想来个激情至死都没那么容易。这种动物终生都是欲奴，还不是主动求欢的那种——我所说的正是鮟鱇，它们的一生奇特而苦闷。

深海鮟鱇的分类下有160多个品种，要是你把深海鮟鱇的雌、雄性错认成不同的动物倒也情有可原。鮟鱇的雌鱼光彩照人，它们最显著的特征就是在头部前端长有一个会发光的"诱饵"，这个诱饵能帮助它们吸引猎物和异性。不同种类的鮟鱇拥有不同形状的诱饵，发光的模式也各有差别，四处游荡的雄性可以借此找到相同种类的雌性。雌鱼还有一张血盆大口，嘴边布满巨大的利齿，体内的胃像个洞穴，以保证它们不管在孤寂的深海里遇到什么猎物都吃得下去，消化得了。不同种类的鮟鱇在体形上也相差颇大。有些鮟鱇身材苗条，呈流线型，有些却像在球形的胃上长了张脸，样貌滑稽，活像个游泳池里的水球，一辈子和"敏捷""灵活"这样的形容词无缘。

有时候，雌性鮟鱇身上会凸起微小的肿块，看起来就像粘上了讨要食物的寄生虫。其实，说是寄生虫倒也没错，这些东西确实是以其特有方式"寄生"的——那些都是雄鱼。雄性鮟鱇太小了，有些种类的雄鱼甚至是世界上体形最小的脊椎动物之一（"脊椎动物"就是有脊椎的动物，和"无脊椎动物"——没有脊椎的动物相对应）。这些幸运的雄鱼实现了一辈子唯一的目标：找到可能比它们重 50 万倍的雌鱼。事实上，雄性鮟鱇无法进食，从降生起，它们的任务就是在无尽的漆黑中寻找雌性，然而只有大约 1% 的雄鱼能够成功，剩下的只有被活活饿死的份儿。不过，正因为脑袋小，雄性鮟鱇拥

我的生命之光

大约九成的深海生物都会发光。乍看之下，在一片黑暗中亮得像节日里的烟火似的，把自己的位置暴露给捕食者似乎不怎么利于生存，不过生物发光其实在很多方面都是一项不可或缺的能力。鮟鱇可以借此进行交流、诱捕猎物，其他动物还会把发光作为防御手段。有些海虾会喷射发光的黏液来迷惑袭击者，就像章鱼会喷墨。有些动物会点亮自己的肚子，模仿从水面射下的微光，破坏自己的剪影，避免被捕食者发现。还有些动物干脆与捕食者来个同归于尽：要是捕食者吃掉了它们发亮的身体，且捕食者通体透明（在深海里，透明的身体非常普遍），它们就会在猎手的胃里继续发光，把猎手变成显眼的活靶子——和被彩弹击中的银行劫匪一个样儿。

有动物界相对尺寸最大的鼻孔，可以闻出雌性的踪迹，然后再用钳子一样的牙齿牢牢钩在雌鱼身上，终生融为一体。

鮟鱇夫妻"合体"的原理是这样的：雄鱼就位之后，酶就会开始融化它的脸，让它和雌性合二为一。在与雌鱼的循环系统接触、融合后，雄鱼就会从雌鱼身上吸取营养，继续长大，同时，眼睛等不必要的器官和结构会萎缩。准确地说，雄鱼从雌鱼身上偷取营养，它们确实是雌性的"寄生虫"。这种生活方式被称为"异性寄生"（sexual parasitism）——没错，鮟鱇会寄生在"自己人"身上（也有几种鮟鱇的雄性非常幸运，它们不会融合。在相互连接、偷走营养并释放精子后，雄鱼就会放开雌鱼，转身离开）。

恩爱的鮟鱇夫妇分泌激素也是同步的，也就是说，妻子释放卵细胞的同时，也能激发丈夫释放精子。雌鱼的卵带足有 30 英尺（约9.1 米，1 英尺 ≈30.48 厘米），其中的卵细胞吸收着雄鱼的精子（由于雄鱼也会向雌鱼提供一些东西——比如精子，有些生物学家认为鮟鱇的相处方式并不完全属于寄生。它们的关系也是很复杂的呢）。从结果上讲，雌性鮟鱇变成了自体受精、雌雄同体的物种。在其 30 来年的生命里，雌鱼能够与好几条雄鱼结合，所有的雄鱼都会为她产生精子，直到雌鱼死亡。这时，整个"复合体"就会沉入海底深渊。

这种解决交配问题的对策可谓别出心裁，可这也把鮟鱇变成了一台台生育机器，夫妻双方要不断产生卵细胞和精子，不把雌鱼的能量耗尽不算完。这也是雌性鮟鱇在体形上力压伴侣的原因——一切都为了配子，也就是卵细胞和精子。人类总以为男性身材魁梧就比女性优越，还以为这一点放之四海而皆准，但事实是，在自然界，大部分物种的雌性都会比雄性长得更大，其部分原因是雌性要花费巨大的能量来产生卵细胞。鮟鱇姑娘的口腔和胃都如此海量，也是由于在它们的栖息环境中食物相当匮乏，因此雌鱼必须保证能够吃

"洞穴昆虫的雌性阴茎、雄性阴道及其相关进化"

在雌性挑剔交配对象的问题上，有一个引人注目的反例，就是巴西的新穴虫属（*Neotrogla*）昆虫（"属"就是一类有亲缘关系的物种组成的集合）。这类昆虫的雌性个体长有"阴茎"，而雄性个体长有"阴道"。准确地说，应该是雌性长有形似阴茎的结构，可以用来插入雄性的生殖腔，夺取精子和少量营养物质。这些营养被当作"彩礼"，为雌性在贫瘠的洞穴栖息环境中提供珍贵的能量。在新穴虫属昆虫的案例中，姑娘们成了追求者，而小伙儿们反倒扭捏了起来。顺便说一句，发现这类昆虫的研究论文有个耐人寻味的题目——《洞穴昆虫的雌性阴茎、雄性阴道及其相关进化》（*Female Penis, Male Vagina, and Their Correlated Evolution in a Cave Insect*）。

下遇到的一切食物来获取能量。另外，卵细胞比精子更占空间，所以雄性就算长得相对小一些也无所谓。

在动物界的其他角落，雌性一生能产生的配子是定量的，因此卵细胞的意义重大，雌性必须仔细甄选交配对象。举例来说，姑娘们可能只会和最棒的舞者，或者最强的斗士共度春宵，以保证枕边人能把最优质的基因传递给下一代。等到哺乳动物等生物怀上后代，母亲们还得摄取更多能量来养育肚子里的那群小家伙。雌性的挑剔使得雄性为争夺交配权展开激烈的斗争，最终导致某些生物进化出"超常"的体形——为了战胜对手，赢得雌性的芳心，雄性最终会长得比雌性更加魁梧。

雌性宽足袋鼩和鮟鱇都在以自己独特的方式"挑选"最适应环境的异性。前者让伴侣长出了雄伟的睾丸，而后者的办法也着实让雄性"摸不着头脑"。记得我说过只有 1% 的雄鱼能在死前找到雌性吧？那些死去的小伙伴，并不是因为它们不够努力——在广袤、昏暗的大洋深处锁定一条雌鱼真的太难了，唯有最棒的追踪大师才有机会和雌性融为一体，把自家的香火延续下去。大概这就是随着时间的推移，雄鱼的鼻腔都这么发达的原因，正是大鼻孔保证了它们传播基因的权利。

20 世纪初，第一批观察鮟鱇的生物学家以为雌鱼身上吸满了其幼体小鱼。不过这种鱼的生存方式如此诡异，也难怪科学家会得出错误的结论。然而等到真相大白后，最初的困惑却化作震惊，然后又变成了恐惧。1938 年，伟大的博物学家、探险家威廉·比贝（William Beebe）将鮟鱇的风貌总结如下：

在如此广袤无边、令人生畏的黑暗里，受气味的驱使一股脑儿冲向庞然大物般的异性，主动在其柔软的体侧咬出一个洞，感受对方的血液逐渐充溢血管，还要抛弃身为鱼类的一切，委身化作虫豸，抛弃头脑，抛弃感情——这是纯粹的天方夜谭，除非证据就在眼前，否则我们绝对不予采信。

鮟鱇小伙儿，继续游下去吧，拿出证据给他们瞧瞧，也别丢了自己的身份啊。

海扁虫

问题：当妈也是个重任呢。

对策：雌雄同体的海扁虫选择拔出阴茎，一决雌雄。海扁虫个体会同时产生精子和卵细胞，所以成功用针头一样的生殖器插入对手身体的海扁虫就逃过了怀孕生子的命运，独留受了精的输家暗自伤悲。

正如鲛鳒和宽足袋鼩的例子所示，雄性一般会想尽办法风流快活，生物学上真正的担子都压在雌性的肩上。雌性要耗费巨大的能量产生卵细胞，要是哺乳动物，还要负责哺育、照看幼崽。可是，对雌雄同体的动物，比如某些栖息在海中的海扁虫来说，情况又是怎么样的呢？谁来承担怀孕生子的重担呢？

答案是——谁在"阴茎击剑"中落败，谁就得当妈。海扁虫生存的海洋深度远不及鲛鳒上演"交尾怪谈"时的深度。在海底的珊瑚礁丛里，某些种类的海扁虫会在同类之间挑起战争。

战局从一派祥和的景象开始。两只色彩艳丽的海扁虫相遇了，你蹭蹭我，我蹭蹭你。但这份和谐转瞬即逝，两位"选手"旋即撅起屁股，亮出各自的武器：每人两把尖锐、洁白的"匕首"——它们的阴茎。接着，它们左突右刺，谁都想把一身的精液注射给对手，同时还得留神防备着自己别反被受精，那样子活像人类击剑手。这场战役最长能持续进行一个钟头，直到各自身上的两把"匕首"缩回体内，两位选手才肯重新俯下身子，分道扬镳。挑战结束，对战双方很有可能都已遍体鳞伤，浑身是洞，洞里还灌满精子。你甚至

21

只要你想，没有什么不是虫

在英语里，似乎什么东西都可以被当作虫子，当然，也要在合理范围内。如果你身材修长、没有脊椎，还黏糊糊的，那你八成就会被称作虫子。因此，这个广义的"虫类"就包括了具有多对步足的栉蚕（我们会在后文中见到它们）、侵略人体肠道的绦虫，还有蚯蚓。澳大利亚的蚯蚓能长到6英尺（约1.8米）长（这种东西就留给澳大利亚好了，那儿就是个奇葩生物的国度）。然而，6英尺长的蚯蚓和海底的带虫比起来，依然是小巫见大巫——带虫可以长到100英尺（约30.5米），几乎和地球上最大的生物——蓝鲸一样长。还有人声称曾在苏格兰采集过一个标本，测量长度为180英尺（约54.9米）。不过，这个测量的人大概是想追求一个"世界最长动物发现者"的虚名，谎报了标本的长度。名利熏心嘛，你懂的。

还能看到它们身上布满白色的条纹，那是一条条支流丰富的精液之河，正奔腾在与卵细胞结合受精的路上。

现在，你可能要问为什么了。为什么海扁虫要采取这种暴力、创伤式的受精方式呢？或者问得更准确、更幽默一点儿，为什么要用这种"皮下注射"的方式来受精呢？原因就在于，两只海扁虫拥有相同的目标——它们谁也不想成为"雌性"（这么说有点儿性别歧视，在这里就不要计较了）。培育那些受了精的卵细胞绝对不是什么轻松的工作，更别说输家被搞大肚子之前还遍体鳞伤了。"阴茎击剑"的赢家逃过了抚育后代的麻烦，还把自己的基因延续了下来。

但这种方式最奇特的地方在于，如果海扁虫要被同类"捅刀子"，根据自然选择的要求，就只有被捅个彻底对它们最有利。技艺最高超的"剑术家"在繁殖上拥有最大的优势，其他海扁虫也都想将这些精英的基因传递给子代，让其子代也拥有出色的格斗技巧和传种能力。这是大自然最残酷的一大讽刺：没有哪只海扁虫想被对手的器官刺入身体，让自己受精，但要是别无选择，它们就会希望被刺个痛快，受精也受个彻底。

还有一种海扁虫的生活方式更加诡异。这种海扁虫通体透明，体形微小，和海床上众多长相标致的近亲一样，也靠将精子注射给对方的方式交配。然而，这种海扁虫似乎更懂得体味孤独的痛苦——要是附近没有同伴，它们就会把"匕首"捅进自己的……脑袋。这种行为被称为"自体受精"（selfing）。海扁虫的"匕首"位于尾巴尖，脑袋长在身体另一头，只要一个灵巧的下腰就能"正中红心"，然后精子就会一路向前，与卵细胞结合。因此，如有必要，海扁虫也可以独立自主地进行繁殖。发现这种行为的科学家并没有像之前描述"击剑手"时那样，将这种行为称为"创伤式受精"（traumatic insemination），而是谨慎地选用了"皮下受精"（hypodermic insemination）一词，因为他们也不知道这种小动物自戳脑袋之后到底会不会受伤。我没开玩笑。

其实，海扁虫并不是唯一靠这种奇特的方式繁殖的动物。这样的动物还多着呢。要是你还没找到足够的理由害怕（甚至鄙视或恶心）臭虫的话，我再给你说一个吧——它们都在你的床单上搞"创伤式受精"呢。雄虫在交配时会用生殖器刺穿雌虫的外骨骼，然后把精子全部注入伴侣的体腔。坚硬的外骨骼对臭虫来说非同小可，臭虫要靠它抵御外界侵袭。不过，雌性臭虫已经进化出了一种特殊的免疫反应——它们能够产生一种腐蚀细菌细胞壁的蛋白质，在外骨骼受损时防止感染。

这些，就是交配战争中的博弈。一方发展出"进攻"的方式，另一方就找到对策进行"防守"。大自然创造问题，也会解决问题。归根结底，这一切都是围绕生命的意义 —— 不惜代价地繁殖 —— 进行的。生命的意义让两性之间发生冲突，或者从雌雄同体的海扁虫的角度讲，就是让充当"雌性"的个体和充当"雄性"的个体发生冲突。当雌性要控制交配对象、确保挑选出最佳基因时，这种冲突尤为激烈。而要说将这种交配冲突推向高潮的动物，鸭子自然当仁不让。雄鸭早已恶名千里，它们会胁迫雌性进行交配。为了把雄性螺旋状（而且最长能长到约 38 厘米）的器官拒之门外，雌性的阴道进化成了反向螺旋状。有些种类的鸭子甚至还在阴道内进化出诸多"死胡同"，以抵抗雄鸭的强暴。

动物会挑选交配对象，而这种挑剔会驱使物种进化出某些特定的性状。这一理论被称为"性选择（sexual selection）"，是由查尔斯·达尔文提出的另一个重要理论。性选择理论在英国维多利亚时代的父系社会中遭到了嘲笑。人们普遍认为，让女性拥有选择权是十分可笑的，在谈及择偶时尤其如此。这一谬论的坚定反对者正是著名博物学家阿尔弗雷德·拉塞尔·华莱士（Alfred Russel Wallace），那位和达尔文几乎同时提出自然选择学说的人［华莱士给达尔文寄过一封信，信上阐述了自己的学术观点，达尔文收到信后赶紧发表了自己的著作《物种起源》（On the Origin of Species）。但在著作发表之前，两人的学说就已经被同僚们在伦敦林奈学会中介绍过了，后来他们也从点头之交变成了挚友］。华莱士不认为动物的智力足以让它们做出自己的选择，除非是我们人类的女性。他曾经这样写道："各个阶级的许多最丑恶的男人本来还是可以轻松讨到老婆的，但当女人们能够经济独立、社交自由地做出选择时，他们几乎都是要打光棍的。"这样的选择能改善物种，不过他强调的是自己的物种。

为华莱士对女权主义如此乐观而喝彩吧，不过在性选择的观点上他还是犯了错误（我要先说清楚，华莱士也是很伟大的，也许借这个事迹来介绍他并不太合适，我道歉，不过孰能无过呢。在科学上犯错并非坏事，这样的错误能够帮助其他人发现真理。在下一章中，我们就可以见到华莱士提出的很多正确观点了）。谈到性的话题，动物界的姑娘们确实也可以算"手握重权"呢。

所以说呀，我们人类也许做不到每时每刻都提出伟大的学说，但至少我们不会"阴茎击剑"，这也得算数吧？

髭蟾

问题：吸引雌性注意的竞争相当激烈。

对策：如果你是一种特定种类的雄性蟾蜍，你就会长出"胡须"，还会用这些"胡须"攻击对手。

"孔雀尾巴上的羽毛，每次我一看到，就会心生反感。"查尔斯·达尔文曾在给美国植物学家阿萨·格雷（Asa Gray）的信中说过这样一句话。他厌恶孔雀绚丽招摇的模样，觉得这种动物就是对其自然选择学说活生生的侮辱。达尔文苦苦思索，屁股上长着这种又笨重又惹眼的东西，除了让孔雀更容易被天敌锁定，还能有什么用？但最后他终于意识到：孔雀巨大的尾羽在吸引异性上的作用已经超越了其存在本身带来的风险——这就是性选择（sexual selection）理论。屁股上插着个巨型靶子的孔雀着实美味诱人，但屁股上插着个巨型靶子的孔雀也确实性感。

不过，对其他着急交配的动物来说，这么优雅的排场就有些过于奢侈了。有时候，几根漂亮的羽毛赢不来交配权，靠的还是流血、骨折式的激战，甚至损伤几个体内器官也在所不惜。雄性动物对传播基因近乎疯狂的执着，往往能够让其忽略身体受伤的危险。

在这一点上，没什么动物能比髭蟾做得更极致了。髭蟾（mustache toad，直译为"胡须蟾蜍"）的名字体现了它的外表特征。这种动物在发情期会"异角突起"，正如雄鹿的鹿角每年都会脱落并重新长出，在每个交配季成为相互对抗的工具，髭蟾也进化出了一种独特的武器——在其上颌边缘，会长出10至16根极其尖锐的刺。这些尖刺被称为"婚刺"（nuptial spines），由角蛋白构成，也就是构成你的头发和指甲的材料。角质婚刺直接从髭蟾的皮肤内伸出，利用它们，雄性髭蟾之间会爆发激烈的格斗，争夺与雌性"水乳交融"的最佳地点。

髭蟾是陆生动物，但每年都会回到水中进行交配。它们的繁殖模式有个霸气的名字，叫"爆发式繁殖"（explosive breeding）。理想的交配地点只有在水下，在短短三周的交配季中，同一地区的所有髭蟾都会集中到一处，竞争激烈得令人喘不过气。你要是够聪明，就会去找一个上有遮蔽的角落，为自己看护孵化中的后代找到最便利的栖身之所，但这又会给呼吸造成麻烦——一大群同类的小伙子都觊觎你找到的好位置呢，这时候浮上水面换气实在是冒险。对此，髭蟾想出了一个绝佳的应对之法：每到交配季，它们就会把皮肤变得又松又皱。这么做看似在给自己"找麻烦"，而且大大牺牲了"颜值"，却大幅提升了身体的表面积。髭蟾在陆上可以通过皮肤直接吸收氧气，更大面积的皮肤就意味着更大量地吸氧，进而减少其游到水面上换气的次数。

当然，当占好巢的髭蟾遇上上门挑衅的同类，一场恶斗也在所难免。一开始，防守的一方还会保持十分的礼貌，用身体堵住巢穴的大门，吼叫着驱赶入侵者。可入侵者不讲什么礼节，只管进攻。一攻一守的两只髭蟾就像两个皮肤松弛的相扑大汉，你抓我，我推你，扭打成一团。紧接着，它们就开始利用尖刺攻击对方，两边都想把上颌塞到对手身下，力图掀翻对手。要是哪边成功了，它就会把对手垂直举起，牢牢抓住，将尖刺刺进对手腹部，最后再把对手甩向巢穴的石壁上。

虽然髭蟾皮肤松弛，却丝毫无法保护它不受伤。共赴云雨固然美妙，可要在完事儿之前先送了命也一样实现不了目标，所以竞争中的弱者会选择逃跑，气喘吁吁，浑身是洞。最终，几乎所有

你说，到底是哪个蠢货给爱尔兰麋鹿起的名？

　　髭蟾的"胡须"确实有型，但要论武器，它们的尖刺和爱尔兰麋鹿的鹿角比起来不值一提。爱尔兰麋鹿已于11000年前灭绝，不过其实这种动物既不是爱尔兰的特有物种，也不是麋鹿。爱尔兰麋鹿是有史以来的所有动物中角长得最大的，足有12英尺（约3.7米）宽，顶着这么一对角的苦衷根本无法言说。说实话，爱尔兰麋鹿的绝迹很可能与它们的鹿角脱不开关系。栖息地一天比一天冷，食物供给日渐缺乏，可你还长着一对每年都需要能量来重新生长的12英尺大角，于是关乎生死存亡的难题就出现了。

的"蟾蜍斗士"多少都会"挂彩"。可不争抢巢穴的后果又过于严重——雌性寻觅的不只是伴侣，还有它们的巢，毕竟对方还要在自己不在的时候担起照看孩子的责任。等到蟾蜍姑娘光临之时，它会稍稍与胜利者卿卿我我一下，稍稍巡游检查巢穴环境一番，最后才进入亲密时光。小伙儿会紧紧抱住它，在它产卵的同时使卵细胞受精，然后用脚掌将卵固定在巢穴的洞顶。一切停当之后，姑娘转身离去，留下小伙儿独自摩挲着它们的后代，保持卵的清洁，直到受精卵全部孵化成蝌蚪，游着泳离巢。

显而易见，恋尸癖是"社会不可接受的"

另一种学名叫"*Rhinella proboscidea*"的蛙类，它们中的雌性在交配时的下场可不怎么好。这种蛙类的繁殖模式同样也属于"爆发式繁殖"，几百只个体拥挤在一个池塘内。混乱中，很多雌性会被淹死，但雄性根本不会就此停手。它们会按压死去的雌蛙的肚皮，挤出雌性的卵，再完成受精。这种行为被称为"功能性恋尸行为"（functional necrophilia），这名字也是真够直接的。在一篇研究这类诡异行为的论文中，科学家似乎也一致认为，必须指出这种繁殖行为"是社会不可接受的行为"，在人类社会中属于难以忍受的行为。

要是髭蟾没有卷入争斗，它们的婚刺就会在回到陆地、生活恢复相对平静之后自行脱落。而且我必须强调，这场冒险对雄性髭蟾来说，是一次巨大的牺牲。除了在整整三周的繁殖季节里屏住呼吸，委身小小的洞穴中以外，年复一年地长出、脱掉嘴上的婚刺也是个耗费能量的无底洞。不过话说回来，不参与这些竞争的损失又真的太大了。

这一切斗争的基础，就是生物进化的原动力——变异。动物父母相遇交配，它们的孩子们并不会完全相同，其原因除了在每个后代的体内，来自父母的两套基因的结合方式各不相同（当然，要除去同卵双胞胎的特例），还因为基因突变可能在此时发生。基因突变的结果可能是有害的、无足轻重的，但也可能是对整个物种有利的。所以髭蟾并不仅仅是其前几代祖先的复制品——在过去的某个时间，带有"胡须"变异基因的雄性蟾蜍出现了，由于这种性状在交配竞争中为它们带来了优势，它们便有机会将控制婚刺生长的基因传播下去。而且，在这个例子中，我们只考虑了赢得交配权这唯一的因素。有的性状能够帮助动物找到食物，从而帮助它们存活，并将基因传播下去；有的性状帮助动物躲避捕食者，达到同样的目的。总而言之，生物为适应环境、躲避天敌和竞争交配权而不断进化。

虽然有时动物变异出的性状看起来挺夸张的，比如长出胡须般的武器，但其实并没有什么操纵其进化的力量存在。一只普普通通的蟾蜍，就这么一步一步地变形成了"大胡子叔叔"。

蟾鱼

问题：和髭蟾一样，鱼类也需要竞争交配的权利。

对策：傻子才打架呢。蟾鱼小伙儿从不互相缠斗，它们都用鱼鳔来吸引姑娘。蟾鱼会发出非常响亮的嗡鸣，这种神秘的噪声曾经惹得一个美国小镇上的船屋居民们大为光火，他们对噪声来源展开了全面调查。

那还是 1985 年。地点是旧金山北部的一个海滨社区，名叫索萨利托（Sausalito）。小镇里有船屋，有时候还会有海狮出没，吸引了众多游客。问题来了：在夏日的夜晚，这里总是传出阵阵嗡鸣，扰人清静，甚至可以说令人发狂。有人说这是外星人的杰作，有人指责政府，还有人归咎于附近的污水处理厂。当地的《马林独立日报》（*Marin Independent Journal*）为这一事件起了个引人注目的头条标题："是相思成疾的鱼在索萨利托歌唱吗？"在报道中，报纸坚定地给出了否定的答案。

但这个答案是错误的。小镇确实是被求爱的歌声所笼罩着 —— 准确地说，是蟾鱼的歌声。这种"歌声"挑战着人类的忍耐力，仿佛巴松管吹出的声响，又像一大群蜜蜂制造的噪声。一户船屋的居民提出正式投诉，称这种噪声"就像家里有架飞机"。其实回想起来，这种描述不无夸张。蟾鱼的歌声在人类听来是挺烦人的，不过其实雄鱼也是被逼无奈呀。它们必须吸引雌鱼的注意，唯有最动人的"咆哮"才能赢取芳心。

蟾鱼的新闻传出了索萨利托，传遍全国。在哥伦比亚广播公司

你管谁叫拉琴的呢？

不是我贬低蟾鱼，可要说起交配之歌，琴鸟的歌声在这世上无人能敌。在赢取姑娘芳心的竞争中，雄性琴鸟会把鲜艳华丽、堪比孔雀的尾羽扭到头上，然后顶着尾巴四处欢蹦乱跳，同时嘴里还唱着求爱的歌，曲调令人啧啧称奇。那调子既有科幻电影镭射电音的感觉，也有高音琴弦拨动的感觉，同时还有模仿森林里其他鸟类叫声的意思。笼养的琴鸟会模仿周围不和谐的噪声：闹钟的响声、钻头的声音，甚至锤子的敲击声（如果它身处一家正在翻修的动物园），它们甚至还会模仿相机快门的咔嚓声。琴鸟的模仿惟妙惟肖，让人惊叹，就算冒着让诸位从书中抽身而去的风险，我也要推荐你们去看看琴鸟的视频。说真的，去看看吧，我不会生气的。

"晚间新闻"（CBS Evening News）节目中，著名主播丹·拉瑟（Dan Rather）对此表示怀疑，他认为要是一条鱼都能搞出这么大的骚乱，"青蛙都能长毛！"（其实确实存在这么一种动物，名叫"毛蛙"，其雄性的皮肤上有毛发状突起，就像髭蟾松弛的皮肤一样，帮助它们在守护卵的时候在水下呼吸，不过无所谓啦。）《马林独立日报》发表的社论也同样言辞激烈，仿佛出自讽刺作家或者疯子作家之手——或许两者兼备。社论中提到了噪声出现的时间规律：大约从晚上九点到凌晨五点，然后提问："多么自律的鱼才会如此守时？"最后严肃地自问自答道："只有在体内进化出原子钟的鱼、电子手表和欧洲的火车才能在每晚同一时间闹出这么大动静。"

归根结底，把这个新闻搞大的是一位名叫约翰·麦科斯克（John McCosker）的著名生物学家。麦科斯克就职于旧金山加州科学院，他告诉我，20世纪80年代的一天，他接到了卫生部门一名噪声专家的电话。这名专家负责调查索萨利托事件，却大费周章也没能得出结果。研究人员尝试了一切可能的理论，最终认为噪声的成因只有可能是当地的生物了。麦科斯克让对方在电话中放一段噪声的录音，然后当即认定，噪声来源于蟾鱼（学名"*Porichthys notatus*"）。

"我的天哪。"麦科斯克回忆着对方的反应，"别和……任何人……说，我们全搞错了，我们本来还想调查看看源头是污水处理厂还是军队。所有居民对噪声怒不可遏，我不知道还有鱼能发出这么大声响。"

然而索萨利托的居民并不买账。他们似乎很难相信大海里其实热闹得很，因为声音在水中的传播非常顺畅。举例来说，座头鲸会唱出天雷般的歌声，其演唱长达半个小时，只为和大海另一头的同伴沟通；形形色色的鱼类和海豚都会跃出大海，拍击水面；就连海水本身也不安分，远离堤岸的大洋深处，潮汐和洋流让海水不断翻涌。著名海洋生物学家蕾切尔·卡森（Rachel Carson）在其经典著作《我们周围的海洋》（*The Sea Around Us*）中这样描述过海洋："表层有唏嘘叹息的声音，伴随着泡沫卷积而成的条纹。深海的海水替代着表层，洋流也发出含混不清的音调。"由此可见，海水和海洋生物共同在大海中制造着大量的声音。也许还是麦科斯克在1986年的一篇文章中总结得最贴切："依我看，海湾地区的一代雅皮士什么都不缺，唯独忘了自然界的声音，比如蟋蟀的叫声、青蛙的鸣叫、蝉的声音，还有蟾鱼的吼声。真是太可惜了。"

雄性蟾鱼"歌唱"的秘诀在于一个充满空气的器官——鱼鳔。鱼鳔能帮助鱼类在水中保持中性浮力。通过控制鱼鳔中氧气含量的

他们不再用以前的方法制造避孕套，真是太好了！

　　并不是只有鱼类才会利用鱼鳔，欧洲人以前会把鱼鳔当避孕套来用。一份 1908 年的销售记录中有这样的记载："鱼鳔比橡胶更胜一筹，它们更好看、更耐用，不像橡胶的质地那么硬，体感也几乎不受影响。"在当时，鱼鳔的价格甚为昂贵，就是古早版的"超薄款"避孕套，因此男人们还会在每次云雨过后都认认真真地把这玩意儿洗好，反复利用。这么看来，鱼鳔能帮助蟾鱼迎接下一代，也能帮助人类阻挡下一代。

多少，蟾鱼就可以不拍打鱼鳍而完成上浮或下沉的动作，从而节约体力（著名的节能专家鲨鱼也使用类似的办法，但鲨鱼没有鱼鳔。它们会利用巨大的肝脏来达到这个目的。鲨鱼的肝脏重量可以占到其体重的 25%）。雄性蟾鱼会使与共鸣腔相连的肌肉产生振动，频率可达每秒 150 次，进而产生嗡鸣。这种嗡鸣足以让雌鱼以及住在岸上船屋里的居民们发疯。

　　不过，并不是所有雄性蟾鱼都会鸣叫。雄鱼分为两类：一类是"主导种"，这一类会主动为雌性歌唱；还有一类比较弱势的"潜行种"。主导种的蟾鱼，体形是潜行种的 8 倍，鱼鳔肌肉的大小也是潜行种的 6 倍。然而，潜行种却在生殖器官的尺寸上打败了主导种，它们发达的性腺是对手的 7 倍大。

　　这是为什么呢？原因是这样的：主导种的雄性蟾鱼在海底筑巢，然后利用鱼鳔上高度发达的巨大肌肉唱歌，一唱就能唱上整整两个小时。被它们吸引的雌鱼就会游过来，产下卵细胞。主导种雄鱼会让这些卵受精，然后持续守护后代。但此时，潜行种的雄鱼就静静地藏在不远处，它们会趁机猛冲过来，将雌鱼的卵受精。这时候它们巨大的精巢就派上用场了——因为这种"关键一击"的机会一般只有一次，所以它必须在一次受精过程中释放尽可能多的精子。相比之下，主导种雄鱼把更多的能量和资源投入在了让自己体形变大、防御巢穴上，但潜行种没有这么做，它们没有花精力长成巨种、筑造巢穴、吸引异性，以及照看受精卵。因此，主导种做了一切实际的工作，而精明的潜行种蟾鱼虽然冒着潜伏在气愤的主导种雄鱼身边的危险，却让自己的基因在进化的历程中延续了下来。

进化的历程经年累月，为什么在 20 世纪 80 年代，蟾鱼求爱的歌声突然在索萨利托成了"公害"呢？其他时间蟾鱼都去哪儿了？其实，它们一直都在，只是其他时间里种群的数量一直很少。在"二战"时期，索萨利托附近的一家造船厂开始量产武器，在生产过程中用到了大量有害的化学物质。那时候的海湾水质很差，鱼类深受其害。但后来，清淤人员解决了这个问题。麦科斯克讲述道："造船厂不再向海湾排放废物，清淤的工作也已经完成，于是就有了更多的鱼类在这里生长。"出乎意料的是，正是索萨利托的雅皮士以及他们令人尊崇的环保主义让这个小镇又"喧闹"了起来。

在麦科斯克揭露事实真相后，小镇居民的态度也从怀疑变成了温柔接纳。曾经有一段时间，索萨利托甚至还举办过蟾鱼节。如今，这个节日已经成为历史，但蟾鱼依然在这里生活，高唱着爱情的欢歌。而岸上船屋的主人们，则正在盘算着：要打一场多大的仗，才能让造船厂重新建起来？

第二章

你找不到保姆帮忙看孩子

　　在本章中，一种毛虫体内会钻出蝇蛆，场面恐怖；
另一种毛虫体外却长有假发，潇洒有型。

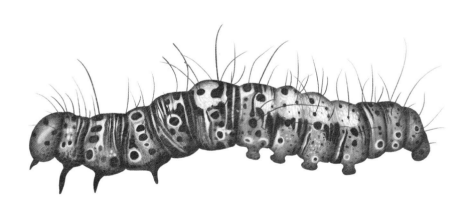

身为哺乳动物，还是灵长类，应该谢天谢地了。妈妈能轻轻抱着你，还能拉着你到处跑。我们人类会照料自己的后代，能享受这种奢侈习惯的动物其实非常少。在没有保姆的情况下，动物们必须想尽办法确保后代的存活。有些动物干脆一次产下许多后代，希望其中能有部分幸存，有些动物的对策则更有创意，比如，把孩子注入别人体内，甩掉为人父母的责任。所以说，再次感谢你头顶的幸运星吧！

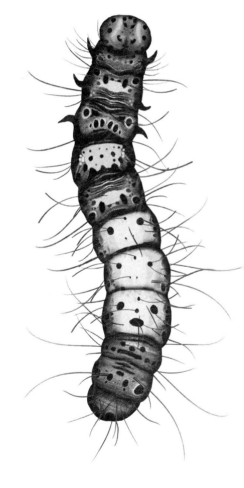

寄生性蚤蝇

问题：幼虫们很无助，如果你是只蛆，最好想想办法。

对策：寄生性蚤蝇会将卵精准地注入活蚂蚁的体内，卵孵化后，幼虫就会移动到宿主脑内，控制宿主钻进落叶层，然后释放化学物质，让蚂蚁脑壳炸裂。蚂蚁体内安全的环境，成了蝇蛆成长的摇篮。

如果说自然选择学说是史上最伟大的创想，那么这个学说的发现就一定也是人类思想史上最引人注目的巧合之一。这个发现被查尔斯·达尔文抢了头功，但我们之前提到过的阿尔弗雷德·拉塞尔·华莱士不仅和达尔文同时提出了这个理论，还和达尔文一样，借鉴了（至少是部分借鉴了）同一份资料——托马斯·马尔萨斯（Thomas Malthus）的论文《人口原理》（*Essay on the Principle of Population*）。马尔萨斯指出，如果人类不把人口控制在可控范围之内，就势必会出现战争、饥荒或资源激烈竞争的现象。达尔文和华莱士都认为这个理论在自然界也适用——生物会产下比环境可容纳的量更多的后代，捕食者的捕猎和有限的食物资源会削减个体的数量，将种群的个体数量控制在一定范围内。动物的子代各不相同，因此拥有有利变异的个体将存活下来，传递基因，推动进化。

在种群数量激增这件事上，很少有动物能与人类相媲美，蚂蚁可以算是其中一种。据保守估计，全世界蚂蚁的数量可达一亿亿只。不过老话说得好，狗改不了吃屎，看蚂蚁不顺眼的生物也会一直努力想控制住蚂蚁的数量。在这些生物中，也许最活跃、最残忍的当

把死蛇泡进美酒，以及婆罗洲派对上的把戏

虽然达尔文和华莱士都想出了同样的伟大学说——而且尽管达尔文成了聚光灯下的名人，两人依旧维持着友谊——但这两个人的成长环境却有着天壤之别。达尔文出身富裕阶级，他的考察和写作完全无须考虑生计，但华莱士就没有这么幸运了。

这两个人的"发现之旅"也是差异悬殊。和华莱士相比，达尔文乘坐"小猎犬号"（the Beagle）环游世界的旅途堪称闲适。达尔文虽也一路披荆斩棘，但每每登陆之时，他都和富有的欧洲名流一起享受高档住宅。然而身材瘦高、戴着眼镜的华莱士，却只能靠为欧洲收藏家运输标本勉强混口饭吃。

一开始，就连保存标本这件事本身对华莱士来说都是个挑战。在婆罗洲，亚力酒是当地人最爱喝的饮料，他就把标本泡在亚力酒里防腐。"同时也是为了防止当地人喝掉这些酒，"华莱士在他的经典游记《马来群岛自然科学考察记》（The Malay Archipelago）中如是写道，"我让几个当地人看着我把几条蛇和蜥蜴泡进酒里，然而这都没能阻止他们把酒喝掉。"至于他有没有过绝望、放弃，甚至干脆想要把所有的酒灌进自己肚子里的时候，很可惜，我们已经无从得知了。

属寄生性蚤蝇。寄生性蚤蝇又名"断头蝇"——没错，就是这么直白，而且顾名思义，这就是它们对付蚂蚁的手段：将蚂蚁斩首，从

里到外切掉脑袋。

与伴侣翻云覆雨确实不赖，不过要是能在后代的成长过程中保护它们，那就再好不过了，毕竟，没人想白白浪费斗艳争妍、获得芳心、共度良宵所穷尽的努力。因此，寄生性蚤蝇没有将自己的幼虫托付给大自然，暴露在捕食者面前。相反，它们找了个"保姆"——这项工作尤以南美洲的红火蚁最能胜任。雌性寄生性蚤蝇会成群接近蚁群，在体形比自己大上好几倍的目标上空盘旋，等待最佳的进攻时机。真正的"进攻"其实只有一瞬：雌蝇瞬间向下俯冲，将产卵器用力插入火蚁腿间的膜内，并向其体内注射虫卵（你可以把产卵器想象成一个注射器，只不过里面不是药物，而是虫卵。类似地，蜜蜂蜇人也是利用产卵器，不过它们向你注射的是毒液，而非虫卵。当你被蜜蜂蜇的时候，蜇你的凶手一定是雌蜂，而非雄蜂）。

火蚁可一点儿都不喜欢它们这样。火蚁的对策是疯子一样地乱跑，成群地团成球来自保。它们还会释放一种信息素来警告同类，但这些努力却适得其反。更多的寄生性蚤蝇会被信息素的气味吸引而来，援军各自锁定目标，很快，战场上就聚集了一大群蚤蝇。最终，受伤的火蚁散乱在战场的各个角落。它们都还活着，却对自己体内发生的变化毫不知情。

只要几天，虫卵就会孵化出幼虫。幼虫会钻出一条通路，一路钻到火蚁的脑袋里。在蚂蚁头中它们大快朵颐，却又能聪明地避免伤及宿主大脑。整个过程中，火蚁的行为表现均正常。但是，几周后，这些幼虫保护宿主大脑的目的就变得非常清晰了——火蚁不仅仅是蚤蝇幼虫的宿主，更是它们的"座驾"，好的座驾没了引擎可不行。幼虫会释放一种化合物，夺取火蚁思维的控制权，指挥宿主离开蚁群，前往落叶层。落叶层温暖又潮湿，非常适合蚤蝇的下一步发育（关于部分昆虫生长发育的一点儿小科普：卵孵化出幼虫，比如蝇蛆，幼虫浑身湿润、柔软，长得和一般的蠕虫差不多。幼虫生

动物的名字里都有啥？有时会有摇滚明星

　　我觉得有必要说一说我重复写这么多次"断头蝇"这个别名的原因：这是我最喜欢的动物命名之一。其他入围的命名还包括：尻池蟾（scrotum water frog，它更为人熟知的一个名字是"的的喀喀湖水蛙"）——"蛙如其名"；"拉斯贝里疯蚁"（the Rasberry crazy ant，学名为黄褐尼氏蚁）——"拉斯贝里"（Rasberry）的英文和"树莓"（raspberry）只差一个字母"P"，但这其实是物种发现者的名字，"疯"字也体现了它们的特点；还有扎氏似杯水母（*Phialella zappai*），这是一种以摇滚明星弗兰克·扎帕（Frank Zappa）命名的水母。看来这位生物学家一定非常想见扎帕一面，以为用他的名字命名一个物种可以达到目的。当然了，确实有效果，毕竟，我们这不还在讲它们的事迹嘛。

长一段时间后变为蛹，蝴蝶等昆虫将在这个阶段蛰伏一段时间。蛹化期过后，昆虫将发育为成虫）。

　　火蚁一到达理想位置，蚤蝇幼虫就会释放一种化合物，把连接火蚁身体各个部位的膜结构溶解掉，其中也包括将火蚁头部与身体连接起来的部分。火蚁的脑袋会连同里面的蚤蝇幼虫一起掉下来，直到此时幼虫才会吃掉宿主的大脑，打开一条钻出宿主脑袋的通路。饱餐一顿之后，幼虫已经除去了火蚁的口器，并打算将来将之作为逃生的窗口。在化蛹时期，它将用身体堵住这个出口（此时取出蚤蝇的蛹，会发现蛹正是火蚁头部的形状，有点儿像一粒谷子）。"断头蝇"还需要再在它的"摇篮"里发育几周才会羽化，届时成虫会钻出火蚁的脑壳，飞走，交配，重新开始整个诡异的循环。

这一切让寄生性蚤蝇成了美国的民间英雄。不是因为它们在南美洲的事迹，而是因为人们在美国也要仰仗它们——从南方入侵美国的火蚁在美国大肆繁衍，每年造成的经济损失可达数十亿元。它们会破坏农作物，还会给不幸与它们"亲密接触"的人带来一笔医疗开销（被火蚁叮咬的患处会出现令人感到疼痛的脓包，偶尔还会引发严重的过敏反应）。火蚁似乎已经牢牢钉死在当地的生态系统中，政府很绝望，只得引入"断头蝇"当作生化武器来对付火蚁。在杀虫剂无济于事的地区，生物防治收效显著。

用自然对付自然是一种奇特而不稳定的技术。我们太习惯把所有问题都丢给化学物质去解决，却忘记了自然界最强大的武器：每种生物都有天敌，就连熊、狮子等顶级捕食者也要担心寄生虫的侵扰。当然，引入一种入侵生物来对付另一种入侵生物的做法非常冒险，毕竟猎物和猎手都属于入侵物种。但农业部的科学家认定，"断头蝇"的猎物非常专一，它们能搞垮火蚁，又不会伤害别的物种，所以把它们引进美国是安全的。鉴于火蚁危害农作物、困扰家畜、给生态系统制造麻烦，甚至袭击人类，我认为引入另一名"入侵者"非常可行。小断头蝇，美国欢迎你，祝狩猎愉快。

刻绒茧蜂

问题：我刚才说幼虫们很无助，我是认真的。

对策：刻绒茧蜂母亲会把卵注射进活体毛虫体内，孵化后的幼虫就以毛虫为食，然后钻出宿主的身体。它们还会控制宿主的思维，把它们变成自己的保镖和保姆。

侵占其他动物的身体、精神控制、残忍砍头，会做这些事的苍蝇其实很少，但放在蜂类昆虫身上却另当别论。其实，有几种自然界最恐怖的寄生虫其实属于蜂类，如姬蜂，它们的下手之狠毒绝对超乎你的想象。

寄生蜂将后代注射进毛虫的身体，这种行为让达尔文相当费解，他曾写信给阿萨·格雷感叹："我真无法想象，仁慈、全能的造物主会创造出姬蜂这种生吃活毛虫的东西，也不敢相信猫和老鼠能和平共处。"也许你还记得，阿萨·格雷就是之前听达尔文吐槽孔雀尾巴的那位。达尔文自然选择学说的基础是部分生物的死亡促成其他生物的存活，这在当时推广得并不顺利，尤其与宗教的教义相悖。当时的教徒对自然界持有一种田园诗般和谐的印象，认为捕食者和猎物能在诺亚方舟上和平共处，互不吞食，携手等待洪水退去。

姬蜂有一种近亲，折磨毛虫很有一套，它就是刻绒茧蜂。刻绒茧蜂属的蜂类不会直接杀死毛虫，相反，在幼虫"破虫而出"之后，它们还会给宿主另一重不光彩的身份——把宿主"洗脑"成自己的保镖。在毛虫忠诚的保护之下，新一代刻绒茧蜂得以安稳地步入社会。

繁殖起始于雌性刻绒茧蜂锁定一条毛虫。和"断头蝇"类似，刻绒茧蜂母亲会在毛虫身上进行注射，但与寄生性蚤蝇最大的区别在于，刻绒茧蜂会在这条可怜的毛虫身上储存多达 80 枚卵。这些卵都会孵化成幼虫，以毛虫的体液为食，并越长越大，让它们的宿主看起来就像个撑得饱饱的水球。这一切过程中，毛虫还在正常地生活，遛遛弯、吃吃饭 —— 毕竟身体里多了 80 张嘴等着喂呢。每条毛虫宿主都为体内的刻绒茧蜂幼虫提供食物、庇护所，它们共享美好回忆，但告别的时刻总会到来。此时，幼虫就会释放化合物，让宿主瘫痪，然后一齐从宿主体内钻出来，整个过程能持续整整一小时。扭动、翻滚的幼虫穿透毛虫的外皮，这绝对不是什么赏心悦目的画面，毛虫体表几乎每一寸地方都会有蠕动着的刻绒茧蜂幼虫钻出。

然而，宿主悲惨的命运还没有结束。随着幼虫的生长，每隔一段时间它们就会蜕去一层外骨骼，再长出一层新的。这个过程在幼虫还在毛虫体内时就已经发生过几次，但最关键的是最后一次蜕皮，发生在它们钻出毛虫身体之时。幼虫离开毛虫身体后，会蜕下外骨骼，利用外骨骼堵住留在毛虫身上的伤口，因为宿主活着对它们还有用 —— 至少是暂时活着。不是所有幼虫都会钻出来的，会有一两只留下来，这几只就负责"殿后"。它们会留在宿主体内，释放化学物质，扰乱宿主的神志，将毛虫变为极端暴力的"僵尸"，来保护一大家子的安全。

摆脱体内的寄生者后，毛虫并不会回过头攻击它们，也不会逃跑，甚至失去了进食的欲望。在刻绒茧蜂幼虫们开始蛹化之时，它就定在原地不动，甚至还会吐出自己的丝，织成一个遮罩盖住蜂蛹。通过剧烈晃动头部，毛虫会向所有靠近的东西发起进攻，让试图攻击蜂蛹的捕食者尝点儿苦头，甚至包括想要在这些寄生蜂体内产卵的其他寄生蜂。即便一大群捕食性昆虫一齐冲向这顿本应毫无防守

再给你个讨厌蚊子的理由吧

　　你大概会想："感谢上帝，以上这些不会发生在我身上。"其实，也许刻绒茧蜂不会攻击你，但也有其他昆虫以哺乳动物（包括人类）为目标——比如，臭名远扬的肤蝇。肤蝇会先找上一只蚊子，将卵产在蚊子体内，蚊子叮人的过程中，肤蝇的卵就会孵化，蝇蛆落入伤口，钻进皮肤之下。每只蝇蛆身上都长有倒钩，这让取出它们的工作变得异常艰难。在宿主体内，蝇蛆可以长到1英寸（约2.5厘米）长，它们总会撅起其具备多种功能的屁股，从皮肤上的洞里探出身来放风喘气，或者排泄（它们的鼻子长在肛门附近）。如果放任它们不管，差不多3个月后，蝇蛆就会收起倒钩，自行脱落，脱落的过程几乎无痛。但你要想主动清除它们，那可就是自己找罪受了。要我说，我可能会允许它们在我体内生长一段，就当是以科研的名义——但最多忍个一星期吧，然后我就要砍掉被它们占领的部位，就算是脑袋——尤其是脑袋的话。

之力的美餐，毛虫也会坚守阵地，摇摆着身体驱赶入侵者。一项研究发现，毛虫"保镖"能赶走58%的捕食者，而未被洗脑过的普通毛虫只能赶走15%。对这些黏糊细长、平时只会啃树叶的小生物来说，这个比率可不算低了。

　　然而，毛虫的高光时刻其实非常短暂。等到刻绒茧蜂幼虫完成生命循环，从蛹中钻出飞走后，毛虫就会饿死。它已经被利用完了，彻彻底底地完成了使命，却最后也没得善终。

要是另一种动物的身体合适，就赶紧占上吧

不同种类的生物进化出相同的性状（如给人洗脑的能力），这种现象叫作"趋同进化"（convergent evolution）。趋同进化的最佳实例就是飞翔。鸟类从恐龙进化而来，它们具有飞翔的能力，但蝙蝠（哺乳类）也进化出了这种能力，唯一的区别就是蝙蝠的翅膀由翼膜构成，而非羽毛。蝙蝠和鸟类属于不同种类的生物，但它们都认定飞行的能力对它们的生存有利。许多不同的生物都会精神控制也是同样的原因。俗话说得好："要是另一种动物的身体合适，就赶紧占上吧。"

我常常纠结该用什么词来形容这种生存方式的奇特之处。不过我是个作家，还是应该尝试一下。蓝鲸的体长可达100英尺（约30.5米），蓝闪蝶的色彩绚丽夺目，生物的"大"和"美"都是进化的结果，但一种生物能进化出控制另一种生物思维的能力，让对方为己所用，这是多么令人瞠目结舌！而且，寄生性蚤蝇和刻绒茧蜂绝非这类生物仅有的成员——其数量颇为可观，它们都独立进化出了这种"精神操纵"的能力，解决它们的生存问题。

但归根结底，这种高级的手段也是自然选择这一简单过程导致的结果。蜂类并不是一夜之间就学会给毛虫洗脑的。它们的进化过程和髭蟾进化出"尖刺胡须"一样，一代接一代，具备有利变异的蜂类成功繁殖的概率更大。举例来说，一开始，它们可能只懂得把卵注射进毛虫的身体，让幼虫孵化后自己钻出来。这种做法确实提高了幼虫的存活率（有些种类的寄生蜂在这方面的进化就停在这个

阶段，它们没有继续发展更高端的手段）。然后，具有另一些变异特征的幼虫学会了避开宿主的主要器官，这让它们得以更久地享用新鲜的美餐，因此这种变异也帮助了幼虫存活，它们就能把与这种变异相关的基因传承下去。随着时间的推移，各种小小的变异慢慢积累，最终形成了"给毛虫洗脑"这种厉害的结果。

进化的方向绝不是单一的。"进攻者"能进化出如此这般的进攻手段，"防御者"也可以继续进化从而进行防守。有这么一种毛虫，它绝不愿意就此认命，承受捕食者的羞辱。不，绝不。

猫毛虫

问题： 行动迟缓、肉质肥美的毛虫是唾手可得的美食。

对策： 猫毛虫的"发型"时髦帅气，但毛发之下隐藏着它们的秘密武器——它们的蜇针可以在人身上引发呼吸困难（以及恐慌）。

与丈夫分居数年后，生物学家玛丽亚·西比拉·梅里安（Maria Sibylla Merian）对昆虫产生了非常浓厚的兴趣，于是她带上了自己最小的女儿，从阿姆斯特丹起程，穿越太平洋来到了苏里南。在那里她们穿越丛林，搜集昆虫，并将标本带回家，饲养、研究并绘制。

在她搜集的昆虫中，有些毛虫和绒蛾一样，长相奇怪，体表有毛（我的一个昆虫学家朋友跟我说，它们长得还挺像特朗普的）。"在毛发之下，这些毛虫的皮肤和人类的皮肤非常相似，"梅里安如是写道，"这些毛虫有剧毒，根据我自己的经验，要是空手触摸了它们，皮肤会立刻肿起来，异常疼痛。"可怜的梅里安无法享受现代医学的治疗——当时还是 1699 年，距离达尔文踏上加拉帕戈斯群岛还差 130 多年。梅里安是被科学界遗忘的女性科学家，是这个男性主导世界中的开路先锋。而且，抛开性别不谈，她可能还是史上第一位踏上外国领土进行科学考察的博物学家。

在苏里南，梅里安发现了昆虫变态发育（metamorphosis）的秘密。在 17 世纪，变态发育还是欧洲科学界从未触碰过的领域，就连科学研究本身其实也才刚刚起步。关于这方面有几大重要问题：

为什么蝴蝶和蛾要经历如此巨大的变形？为什么不能让卵直接孵化出蝴蝶，而要经过幼虫的阶段？

其实，变态发育与食物有很大的关系。经历了如此显著的变形，幼虫就会和成虫占据不同的生态位（niche），两者之间就不会产生生存竞争。但这种生命循环的过程会让幼虫处于极易受到攻击的境地——就像一块引人注目的鲜肉，成为被刻绒茧蜂等昆虫盯上的猎物，除非它们自己进化出防御手段。

将刺毛进化成武器的毛虫有很多种，但其中最毒的当属梅里安遇上的这种——美洲的猫毛虫（又叫"毒蛇毛虫"，学名为"绒蛾幼虫"）。"猫毛虫"和"毒蛇毛虫"这两个名字听起来似乎不太像同一种动物，但我要说，这种毛虫的长相和它能对人做出的事情，也会让你觉得不太像同一种动物。被猫毛虫蜇伤后的描述各不相同，可能取决于具体的毒液量，但共同的反应是："我一下子感觉像被一把锤子砸中"和"我以前得过肾结石，但我相信这种毛虫造成的疼痛要比那剧烈多了"。蜇伤的症状从眩晕、灼痛、发烧，到轻微但奇异的"腹痛"。介绍这些案例的论文中称，患者均未料到一只毛虫竟能造成如此剧烈的疼痛，纷纷"因为这突如其来的疼痛而陷入无端的恐慌"。

说实话，猫毛虫长得就像一团会蠕动的头发——飘逸的金色长发让它们看起来就像经常用吹风机塑形。和其他种类的毛虫一样，猫毛虫在成长过程中也要经历数次蜕皮，蜕去外骨骼渐渐长大。但每次蜕皮过后，其毛发都会更加柔软漂亮，直到最后变成一绺一绺的样子，好像非洲人的那种发型。不过，让你一整天都过不好的并不是它们的"头发"。这种毛发的确会刺激皮肤，但真正的武器是毛发之下的东西：一根又一根、密密麻麻的毒刺，每根毒刺都和一条毒腺相连，每条毒腺都能制造毒素，攻击那些侵犯毛虫的可怜人。

猫毛虫常常成群出现。这个问题在得克萨斯州尤为严重，人们

毒蛇在看着你

说来也怪，有一类蛾，属于天蛾科（*Hemeroplanes*），它的幼虫不像猫毛虫一样，有个"毒蛇"的绰号——它们就长成毒蛇的模样。这种毛虫进化出了和蛇一样的外表，球状的尾端模仿了蛇头，上面还长有两只巨大的眼状黑斑，以及鳞片状的纹路。它们甚至还会模仿蛇的行为模式，用身体一端抓住树枝，有"蛇头"的另一端左右摇摆，活像一条真蛇。这是一种虚张声势的手段，没错，但可真够棒的。

甚至要把树木用布都盖住。由于孩子们都觉得这些毛茸茸的毛虫肯定柔软无害，经常会用手抓，政府甚至被迫关停学校。1923年，美国农业部的一篇文章称："在达拉斯和得克萨斯州的其他几个城市，成百上千起毛虫中毒事件在同一个季节中发生，关于中毒的后果人们口口相传，导致对这种毛虫的恐惧几乎成了一种病态。"这篇文章的作者肯定不是猫毛虫的受害者，他继续写道："人们总是夸张地叙述中毒的症状，由此引发的极端恐惧可能会让中毒的后果更严重，尤其当这种口头叙述被刊登在报纸上的时候。"

另一份对毛虫中毒事件更为详尽的描述来自北卡罗来纳州，时间是1997年。一个男人在处理鱼肉时把手伸进了冰柜，就在那时他感到胳膊上传来了一阵剧烈的灼痛感——大大咧咧趴在他前臂上的正是一只猫毛虫。他很有先见之明，把毛虫装在了一个"包着玻璃纸的塑料杯"中带到了医院。这个举动很明智，不过就算知道是什么东西袭击了他，医生们也想不出什么特别好的对策——对猫毛

好吧，既然说起了这个话题……

猫毛虫身上长有的毛发名叫"螫毛"（urticating hairs），顾名思义，螫毛会刺激皮肤和黏膜。狼蛛身上也有螫毛，在它们受到威胁时，会将螫毛从屁股上发射出去，给对方造成巨大的痛苦。英国一位29岁的男性患者就用亲身经历得到了这个教训。2009年，他去看眼科医生，诉说眼部发痒、流泪不止的症状，直到医生告诉他有一些细小的毛发在他的眼球底部时，他才想到，这些毛发可能——仅仅有可能是自己的宠物狼蛛三星期前袭击自己时留下的螫毛。那时，他正清理狼蛛的玻璃箱，却没把狼蛛移走，接下来发生的一切就都能猜到了。医生描述道："他转过头，发现了那只靠得极近的狼蛛。狼蛛发射了'一片毛发之雾'，击中了他的眼睛和脸颊。"治好这位病人后，医生似乎颇为满意地补充道，"相信再接触狼蛛时，他都会记得保护眼睛了。"

虫毒液的研究并不像对响尾蛇毒液那么彻底，因为，并没有几个毕业生愿意奉献一生研究毛虫。接受现实吧。

一到医院，他就告诉医生自己这辈子都没有感受过这么剧烈的疼痛，他的用词我感觉非常贴切："疼得像胸腔都塌了下去。"那份中毒事件报告的下文基本上充满了各种医学术语，以下是其中的重点：最初的症状是口干（哦，好像没什么大事）、眩晕（好吧，严重起来了），以及呼吸困难和吞咽困难（非常严重了）。医生们给他注入了各类止痛药，又用解痉药缓解了他大腿的痉挛，然后又注入了更多的止痛药以防万一。一系列药品下肚之后，这位勇敢的患者终于稳定了下来，对猫毛虫也有了更为清醒的认识。

其他动物已经学会了不去招惹这些有毒的毛虫，它们还记住了有毒的毛虫可以"保平安"。有一种鸟类——栗翅斑伞鸟——甚至会故意模仿猫毛虫。栗翅斑伞鸟的雏鸟会长出长长的橙色羽毛，和住在同一片栖息地上的猫毛虫外表极为相似。大自然里似乎总有那么多动物嫉妒你的外形。

翻车鲀

问题： 捕食者实在太多，公开把卵产在海里简直是自找麻烦。

对策： 如果你是翻车鲀，你的繁殖战术就是"放任自流"。你一次就能产下足足三亿枚卵，是这项世界纪录的保持者。再怎么说，总不会全都死光吧？

一月的一天早晨，天气凉爽得正好，海洋生物学家蒂尔尼·蒂丝（Tierney Thys）正跪在草坪上，面前摆着一条世界上最大的硬骨鱼——准确地说，如果这条年仅 1 岁的翻车鲀没死、没被冲上海岸，它就可能长成世界上最大的硬骨鱼。这条鱼身体扁平，呈圆形，比普通餐盘稍大一圈。它的眼睛没有了，大概是被海鸥偷走了，因为它们啄不透它的皮肤，吃不到其他的肉。同时消失的还有它高耸的两副鱼鳍——鱼鳍原本长在它的后背和肚子上。也许是海狮扯断了它的鳍，它们经常干这种事，还会把翻车鲀当成飞盘，前后甩来甩去。

围在蒂尔尼身旁的还有二十多名教师，他们原本是来和她学习如何更好地与孩子们沟通科学话题的，结果现在一个个儿倒好像变成了孩子，在边上笑着、惊叹着，还不停地拍照。蒂尔尼拿起解剖刀，刺入翻车鲀的身体，切下一块砂纸般的鱼皮递给了观众们。一位教师让她仔细讲讲翻车鲀的消化系统，好让她录下来，回去给孩子们播放，因为她那时正好也刚给学生讲到这些知识。蒂尔尼同意了，她伸手指了指翻车鲀的胃，还抬起了它珍珠白色的肠子。

但我其实对它的生殖系统更感兴趣，只是这话没法当着二十多名教师的面说出来，于是我等其他人都离开之后，才问蒂尔尼这条鱼是公是母。她的答案很让我失望。她说这条鱼死得太早了，还无法分辨雌雄。我希望它是雌性，因为我想见识一下它的卵。翻车鲀通常能长到10英尺（约3.0米）长，2.5吨重，一次可以产下足足三亿枚卵，脊椎动物中无物能出其右。而这，还只是用一条4英尺（约1.2米）长的雌鱼卵巢估算出的数据，那条雌鱼根本还没长到预计身长的一半呢。

翻车鲀的繁殖方式非常随性，堪称"放任自流"式的繁殖。雌性翻车鲀的体形非常大，可它们的卵又特别小，大概只有玩具手枪的子弹那么大，所以它们的身体就能装下无数枚卵。这是件好事，因为和其他大部分鱼类一样，翻车鲀也采取体外受精（external fertilization）的方式繁殖后代，也就是说雌鱼在水中排出卵细胞，同时雄鱼排出精子。幸运的话，两种生殖细胞就会相遇，然后开始受精过程。在这之后，雌鱼就再也不在乎它的后代了。它会直接抛下自己的几亿枚卵，转身游走。

综上所述，翻车鲀在制造浮游生物这方面贡献不小。浮游生物是在洋流中漂浮的微小生命体，其中包括结构微小的植物体，即"浮游植物"，它们的光合作用制造了大气层中一半的氧气；还包括动物，即"浮游动物"；以及卵类，比如翻车鲀的卵。以上各类浮游生物合在一起就成了海洋中各种捕食动物非常重要的食物来源，小到虾米，大到65英尺（约19.8米）长的鲸鲨（硬骨鱼和软骨鱼全算上，鲸鲨是其中体形最大的，它的骨骼由软骨构成）。而这对一心求保命的鱼卵来说可不是什么好消息。不过，鱼卵的数量实在太多，总会有一部分活下来的。

就算鱼卵成功孵化出幼鱼，但从幼鱼变为成鱼的过程中，它们还要努力学会放弃"遗产"。其实，翻车鲀算是河鲀（俗称"河豚"）

"喉交"鱼奇遇记

谈起鱼类交尾，就总要谈到几个"怪胎"，比如越南的这种喉交鱼，雄性在脸的下方长有生殖器官。它们的生殖器官有一个锯齿状的钩刺，能钩住雌性，同时另外一根在雌性生殖器官（也在雌性的喉部）中释放精子。它们也利用面部的生殖器官进行排泄。嗯，就是给你普及一下知识而已，没别的意思。

变异了的远亲，很久以前，它们离开珊瑚丛，前往开放海域生活。成年翻车鲀已经没有了河鲀家族成员身上的刺，但它们的幼崽却还保存着这种从祖先那里继承的武器。翻车鲀幼鱼基本呈球形，长有黑豆一样的眼睛和巨大的锥形脊刺，脊刺突起，刺向四方。不难看出，浑身长刺对这些海中生命来说是有好处的。大海里有数不清的饿鬼，而长着刺的猎物是不受欢迎的。随着翻车鲀的成长，它们的脊刺逐渐变细、变尖，直到几近消失，幼鱼就长成了成鱼。在成鱼的体表，脊刺会留下细微的痕迹，这也让翻车鲀的皮肤具有砂纸一般的质感（即便没有刺，翻车鲀的皮肤还是很粗糙，能把人的皮肤磨坏。蒂尔尼每天都和翻车鲀在一起，有时候它们也会不配合，这都是她的亲身经历）。

等翻车鲀长到 10 英尺（约 3.0 米）长、上千磅重之后，又会创下动物界的另一项世界纪录——它们从仅有 1 英寸（约 2.5 厘

游历野兽之腹

在"小猎犬号"上环游世界的时候，达尔文行至南美洲海岸，忽然"对观察刺鲀的生活习性产生了兴趣"。刺鲀是河鲀家族中的一种，它们能使自己膨胀，撑起身上那些著名的刺。当时达尔文误以为，一旦鲨鱼咬住刺鲀，刺鲀就会亮出让鲨鱼如鲠在喉的利刺，正因为刺鲀会"刺破恶魔的体壁，杀死它们"。这是个精彩的"草根逆袭"的故事，但这样的事其实并不太可能发生。鉴于之后达尔文回到了英国，并提出了当世最著名的学说，我们这次就原谅他吧。

米）的幼鱼成长为成熟个体，个头儿总共翻了 6000 万倍，这是所有脊椎动物中最显著的增长了。这就好像，你生了一个 8 磅（约 3.6 千克）重的孩子，他长大后足足重达 5 亿磅（约 23 万吨）。

然而雌鱼产下的那三亿枚卵中，只有很少的一部分能存活，并实现这样的成长。这是肯定的，首先，要是大部分后代都能存活并长大，大海里就会充斥着翻车鲀了。其次，虽然物种的数量会趋于波动（比如由于外部灾难，或竞争物种的离开），但普遍的情况是，一对动物夫妇一般只有两个后代能够活到繁殖期，然后在种群中取代父母的位置——只有两个（我们人类和暴增的人口是特例，因为我们已经不再受食物链控制了）。套进翻车鲀的实例，就是三亿分之二。

但是说到底，翻车鲀母亲的豪赌还是赢了。她不会留下来，看自己的孩子们第一次躲过鲸鲨的袭击，或者失去第一根脊刺，或者终于发育成熟肩扛重任什么的，但她用自己特有的方式确保了后代的延续，不管最后到底有几枚卵能活下来。她解决生存问题的对策，就是拼数字，单纯地用后代数量淹没生态系统。这整个过程就是一场大屠杀，没错。但最后的结局是尽如人意的，这场屠杀也算值了。

低地纹猬

问题：马达加斯加岛的雨林里有无数张饥饿的嘴。

对策：低地纹猬是唯一一种通过摩擦声来交流的哺乳动物。它们会通过摩擦背部的刚毛，发出"嘎吱"的声音，指引迷路的孩子找妈妈。

"我不相信你，更不相信我自己。"这话，当父母的没法跟孩子说出口，结果他们只好拿根绳子把孩子拴在身边。这我倒也理解，谁都不想失去自己的孩子嘛。毕竟，我们都是哺乳动物，没法一次生个几亿枚卵，让它们自求多福。人类母亲传递自己基因的机会并不多。但我们还是现实点儿吧，也许，绳子并不是看孩子的最佳工具呢。

在马达加斯加岛的森林里就有这么一种哺乳动物，名叫低地纹猬。低地纹猬母亲没有绳子，也没有抓握绳子所必需的对生拇指，它们却想到了避免在晚间觅食时弄丢孩子的其他解决之道，这个办法甚至带点儿摇滚范儿——利用它们的刚毛传音。低地纹猬长得就像在万圣节装扮成大黄蜂的刺猬，全身布满亮黄色和黑色的刺。在它们的背部，长有一小簇功能特殊的刚毛，有 13 至 16 根，低地纹猬会通过摩擦这些刚毛，制造出一种尖厉的声音，听起来有点儿像用手快速划过梳子的声音。其发声的原理被称为"摩擦发音"（stridulation），和雄性蟋蟀摩擦翅膀发出声音吸引异性相同，只不过，除了低地纹猬以外，没有其他哺乳动物会使用这种方法与同类沟通了。低地纹猬绝对是独一无二的。

低地纹狸在马达加斯加岛的生活非常繁荣。马达加斯加岛原本是冈瓦纳（Gondwana）古陆的一部分，约9000万年前脱离古陆成为独立小岛。在独立3000万年后的某一天，岛上来了一只小型哺乳动物，后来，这只动物进化成不同种类的低地纹狸，占据着不同的生态位。举例来说，有一种低地纹狸喜爱游泳，它们长着脚蹼，而其他低地纹狸都跑进了树丛。低地纹狸进化出了昼伏夜出、

如何判断在约会时遭遇了尴尬的沉默？

万事皆有利弊——摩擦发音帮助低地纹狸家庭团聚，帮助蟋蟀找到伴侣，但也会给它们引来不必要的关注。一个实例就是夏威夷考艾岛上的"蟋蟀惨剧"。20世纪90年代，一种寄生蝇入侵考艾岛，对当地的蟋蟀构成了威胁。寄生蝇会通过蟋蟀的鸣叫声找到它们，并在其后背上产卵。蝇蛆孵化后，会钻进宿主的身体，从内部把它们吃空。突然有一天，雄性蟋蟀中出现了不会鸣叫的基因突变，让它们在寄生蝇眼皮底下近乎"隐形"。根据自然选择规律，由于鸣叫种的消失，不会鸣叫的蟋蟀有了更大的存活概率——仅仅经过20代的繁殖，整个种群中会鸣叫的蟋蟀就消失殆尽了。然而，相对地，不会鸣叫的性状也让它们对异性的吸引力下降了，因为雌蟋蟀都钟爱最棒的歌手。不过，雌性似乎最终做出了让步，接受了这些"寡言"的追求者，大概是它们别无选择吧，因为但凡会出声的都被活活吃掉了。

谁说这世上再无浪漫来着？

集群出动的特征，一组多达 20 只，个个儿顶着长鼻子，在夜色中通过摩擦传音相互交流。一只雌性低地纹猬一胎可产下 11 只幼崽，这个数量已经很多了——要知道，低地纹猬每次外出捕食都会全家分头行动，每只幼崽都可能跑出 10 英尺（约 3.0 米）远。因此，在热闹的马达加斯加岛的雨林中，极具代表性的摩擦音就成了走失的孩子们回家的灯塔。

首位发现低地纹猬独特沟通方式的科学家名叫埃德温·古尔德（Edwin Gould）。20 世纪六七十年代，他认为摩擦音是低地纹猬母亲控制孩子行踪的方式，于是他设置了一块方形区域，并在两个角落放置扬声器。古尔德将一只低地纹猬幼崽放入区域内，并播放刚毛摩擦的声音，结果他测试的 19 只幼崽中，有 15 只径直走向了发出声音的扬声器。第二次实验发生在室外，古尔德在低地纹猬母亲的刚毛上涂满胶水，让它无法摩擦发音。这次，幼崽们虽然还能自由移动，却都紧紧跟在母亲身边，气味仿佛取代了摩擦音，成了它们锁定母亲位置的方式。

不过，低地纹猬使用这种独特沟通方式的意义，并不仅仅在于防止幼崽迷路。低地纹猬并不是马达加斯加岛唯一的食肉哺乳动物。同一片栖息地还生活着环尾獴，其体表布有黑色和火焰色相交的条纹，色调和低地纹猬身上的纹样相仿。还有马岛獴（属于灵猫科），这种动物看起来很像猫，但其实和獴更为接近。古尔德在实验中向低地纹猬释放以上任意一种捕食者的气味，引起低地纹猬激烈的反应。低地纹猬颈部的刺不会摩擦发音，这些刺通常是平的，但遇到刺激时就会竖起，看起来就像雄狮尖利、黄色的鬃毛。同时，低地纹猬还会发出"噗噗"的叫声。要是对方不为所动，低地纹猬就会提高音量，发出"嘎吱嘎吱"的声音，还会激烈地抬头，将其颈部可折断的刺刺入捕食者的头部或爪子。

低地纹猬利用声音还可以达到更神奇的目的——古尔德做了更

生而多彩

　　某些颜色鲜艳的物种为达尔文的进化论研究带来了不小的困惑。没错，自然选择中的"雄性淘汰"是这一现象背后的一大原因，很多物种的雌性更加偏爱色彩艳丽的雄性，不会理睬那些色调单一的追求者，但为什么连某些昆虫的幼虫都长得那么花哨呢？它们又没必要争夺交配权。达尔文将这个困惑告诉了阿尔弗雷德·华莱士，后者给出了答案——这是一种警告。华莱士发现，这些动物身上的颜色能够警告捕食者，告诉它们这个猎物是有毒的。毕竟，要是捕食者把你一口吞下，就算最后你毒死了它，那你身上带的毒也白白浪费了。你需要向外界传达一种"信息"。尽管低地纹鼩没有毒，但它也要传递出"我很危险，别碰我"（实际上低地纹鼩的确也是危险的生物）这样的信息。

多实验，证明低地纹鼩甚至可以进行回声定位。他在一个漆黑的房间里放置了一根4.5英尺（约1.4米）高的竿，竿顶有一个圆盘，圆盘之下有一个平台，平台连着斜坡，斜坡之下是一个装有食物和饮料奖励的箱子。古尔德将低地纹鼩分为两组——一组戴耳塞，另一组不戴。它们的目标是下到二级平台并冲向食物箱。没戴耳塞的那组成绩很好，但另一组……就不尽如人意了。古尔德发现，戴着耳塞的那组低地纹鼩来到圆盘边缘寻找二级平台的次数更多，花的时间也更长，跳下圆盘时也经常矢不中的。

　　确实，低地纹鼩也可以通过嗅觉感知食物箱的位置，但这个实验证明听觉对低地纹鼩的导航也有着重要意义。古尔德将实验中的声音都录了下来，结果证实低地纹猬在探路时并没有摩擦发音，而是靠弹击舌头定位，频率一般还很快。它们不仅在平台实验时会这样做——古尔德注意到，有一只雄心勃勃的低地纹猬逃出了他的实验室，边跑还边弹击舌头。由此他得出结论：和蝙蝠一样，低地纹猬似乎也会进行回声定位。它们发出声波，并接收回音来确认周围环境的情况。

我们小小的低地纹猬母亲，虽然其貌不扬，却是游荡在马达加斯加岛危险、黑暗的雨林里的音波操控大师，在孩子们四处瞎跑时不断进行着摩擦发音和回声定位。不过，在世界另一端的南美洲，有一种蟾蜍看到低地纹猬对孩子搞这种"不负责任"的"放养"可是会大吃一惊的，因为这种蟾蜍喜欢把孩子紧紧地保护在身边。

负子蟾

问题：池塘能招来捕食者，对蝌蚪来说可不是什么安全的地方。

对策：与其让孩子们面对敌人自求多福，负子蟾母亲选择把卵尽数背在背上，让孩子们在自己皮下孵化，直到它们再也待不住了为止。

我生命中最大的讽刺在于，我知道自己作为生物个体，唯一的生存目的其实就是繁殖，并将我的基因传给下一代，但在我意识到这一切时，却完全不想这么做。那时我刚刚三十出头，我最小的妹妹已经有了个可爱的宝宝。我跟他相处得很不错，他有时候甚至会对我笑，但阻止我自己养孩子的其实是下面这件事：有一次，妹妹给我发来一张小外甥的照片。照片上，小外甥站在后院，手里扶着割草机（他很喜欢这类机器），光着屁股，屁股后面还挂着一小团便便。他抬着头，望着相机，摆出一副明知故犯的样子，仿佛在说："我就这么做了，怎么着？"照片的拍摄时间看起来就在洗澡时间之前，他一定是看到了后院的割草机，兴冲冲地跑了过去，抓着机器扶手，任由微风吹拂他的小光屁股。他兴高采烈，看起来已经失去了对自己的控制。我只能说，在草坪上给小孩擦屁股这种事，并不在我短短的人生计划列表里。

然而，和负子蟾母亲必须承受的一切相比，这件事真的是微不足道。它们是不会在产卵之后把卵留给捕食者享用的，绝不。负子蟾不会轻易离开自己的孩子。在交配季，雄性负子蟾会趴到雌性背上，经过如水下翻跟头般的交配和产卵过程之后，雌性负子蟾会把卵背在背上完成受精。受精过程中，它们的背部会长出新的皮肤把所有的卵包裹住，为卵提供一个舒适的避难所。最终，孵化、发育出的所有幼蟾会一齐跳出母亲的身体——这个场景，我只能说，人类不宜观看。在南美洲进行考察时，玛丽亚·西比拉·梅里安曾撞见过这个画面。在她的一幅画作中，一只背着孩子的负子蟾母亲正在池塘里游泳，后面跟着一只刚刚脱离母体、获得自由的幼蟾。她还在它们身边画了一株可爱的植物和两片贝壳，像是要调节一下气氛似的，可惜调节无效。

一对生物学家夫妻，乔治·拉布（George Rabb）和玛丽·拉布（Mary Rabb）出版的著作，可能是关于负子蟾交配行为的最佳研究资料了——如果不算"'翻跟头'的上升过程是一条笔直的路径，而在下降的过程中，负子蟾会在水平方向上进行旋转"这种

青蛙、蟾蜍总动员

你可能会问，蛙和蟾蜍到底有什么区别呢？我只能说，我也说不好——没人说得准。蟾蜍一般皮肤多疣、干燥，四肢比蛙类更短，但也有不少例外。说实话，这其实只是个咬文嚼字的问题。动物不会为了方便分类而进化，你叫它青蛙还是蟾蜍，大自然才不在乎呢。负子蟾名叫"负子蟾"，也只是因为它们有"负子"的习性，又长得比较符合蟾蜍类的特征而已。其实就这么简单。

佶屈聱牙的句子的话。拉布夫妇的研究始于"摇摆的六十年代"[1]，地点是芝加哥动物园，主角是一对"无名氏"负子蟾夫妇。故事的男女主人公希望保持匿名，也可能它们的名字已经消失在了历史长河中，也可能，它们本来就没有名字吧，毕竟它们只是两只蟾蜍。

负子蟾夫妇的"云雨之欢"开始于蛙类和蟾蜍共有的一种标志性行为，即"抱对"（amplexus）。此时，雄蟾会伸出前臂紧紧抱住雌蟾的下腹部。它们会一直这么抱上好几个小时，这期间只来回浮出水面换气，在出水之前偶尔还会翻个跟头。这几个小时里，负子蟾不产卵，也不排精，但拉布夫妇注意到"雌蟾的背部皮肤膨胀得很明显"，这表示它已经准备好接纳卵了。最终，在它们翻了9次跟头而"无所作为"后，乔治和玛丽看到了第一枚卵落入雌蟾背部。两只负子蟾持续翻滚，每次翻滚到体背朝下时，雌蟾就会产下3~5枚卵，卵落到雄蟾腹部的皮肤褶皱中，雄蟾再释放精子进行受精。随后，随着继续翻滚，卵又会落入雌蟾的后背，雄蟾还会利用腹部的起伏，帮忙把卵埋进合适的位置。这场交配一共持续了24个小时，雌蟾的后背共计背上了55枚卵，仅有11枚卵"脱靶"，沉入水缸底部。

交配结束后，拉布夫妇把雄蟾转移到另一个拥有多只雌蟾的水缸里。这回，这只雄蟾也尝试主动求欢，但雌蟾纷纷拒绝了它。"它想和其他雌蟾进行抱对，"拉布夫妇写道，"但后腿上的皮肤却变得松松垮垮，好像不合体的长筒袜。后来，雄蟾全身的皮肤都开始脱落，它还竭力想把皮肤都吃掉，样子像个诡异的芭蕾舞演员。"不过，拉布夫妇却没有记下在雌蟾身上即将发生的"诡异事件"。

负子蟾母亲背部膨胀的皮肤还会继续生长，逐渐围住所有的卵，但不会完全盖住，而是如蜂房一般把卵紧紧包裹起来。卵会在母亲

---

(1)　摇摆的六十年代（the swinging sixties），即20世纪60年代。

身上发育数月，直到发生大自然里最瘆人的一幕——一只只幼蟾出现了，要是交配非常成功，幼蟾的数量可以高达上百只。这些幼蟾不会经过蝌蚪的阶段，而是直接长成母亲的迷你版，这种发育方式被称为"直接发育"（direct development），在蛙类和蟾蜍中非常罕见。孵化的幼蟾伸着细小的手指，捅破母亲后背的皮肤往外钻。有时，所有幼蟾会一起在母亲的皮肤之下摇摆、蠕动，偶尔会有一只"钻出重围"。直到幼蟾一只接一只地全部游走，母亲背上就只剩下一个空空如也、满是窟窿的"巢穴"了，而这层皮肤最终也会脱落。至少应该说，这是负子蟾应对捕食者的一种极端的办法。如果任何对手想把负子蟾宝宝搞到手，它就先得穿越母亲这层屏障 —— 我说的"穿越"就是字面上这个意思。

总之，小负子蟾冲向这个危机四伏的世界，好在它们的身体长得非常平，可以让它们混进池底的落叶中，四肢张开，和水下植物共同度日。不过，它们依然很弱小，若能长到翻跟头交配的时候也实属幸运。

不过，要是负子蟾有某种庇护之所，故事又会如何呢？要是它们会自己建一个窝呢，比如在海参的肛门里安家怎么样？

第三章

你得找间房子生活

在本章中，小鱼会钻出海参的屁股；鸟会建起巨大的鸟巢，压垮大树。

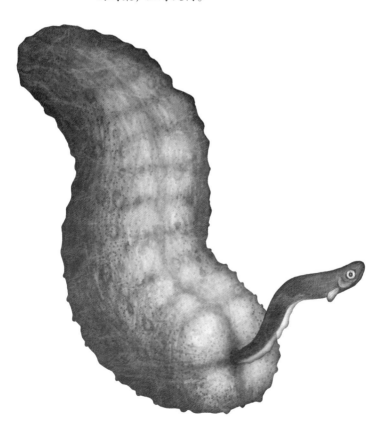

追求一方遮风挡雨之所的并不仅仅是人类。自然界危机四伏，到处都有尖牙、利爪，来自天上的威胁也不少。因此，一些行动力强的动物就开始着手解决住房危机了 —— 鸟类建起了鸟巢，蚂蚁挖起了隧道……然而，本章的这些动物则打算借用其他动物的……身体。嘿，起码人家的房子四季温暖如春啊。

隐鱼

问题： 海床荒凉得很，鱼类很少有地方躲避天敌。

对策： 隐鱼会钻进海参的肛门，在那里舒服地住下来，它们还会吃掉海参的生殖腺。

人们常说家是心灵的港湾，但对隐鱼来说，"家"其实更像是由生殖腺构成的港湾。为了找到一个家，它们会钻进海参的肛门，随即住在里面，然后把海参的生殖腺当作美餐。

这一切的开始似乎并无攻击性。瘦小的隐鱼长得很像泥鳅，它慢慢接近海参，嗅一嗅，然后在它的"准受害者"周围竖着身子上上下下地游动。它在感受海参的呼吸。海参通过肛门呼吸，要是海参察觉到隐鱼的存在，就会屏住呼吸，封住肛门，就像人类憋住屁一样。不过，这种徒劳的努力只是在拖延时间罢了，它终归还是要呼吸的——这就是隐鱼出击的时刻。

一旦隐鱼找到进攻机会，它就要做出一个动物界最艰难的决定——是头先钻进海参的屁股，还是尾巴先钻进去。当然，这都取决于海参的"洞口"大小（其实应该叫"泄殖腔"，因为这个"洞"不仅会排泄废物，还负责生殖）。如果洞口开得够大，足够容纳脑袋，隐鱼就会头朝下一股脑儿地钻进去，连头带尾地把自己"发射"进海参的身体。如果洞口太小，隐鱼就先把尾巴插进去，然后再缓缓倒退。由于隐鱼的体形比海参小很多，年幼的隐鱼在 80% 的情况下都会选择"头先进"，而成年隐鱼在 80% 的情况下都会选择"尾先进"（没错，还真有人统计过）。

隐鱼不想在宿主的肠子里居住，这一点还是可以理解的吧，因此，它一进入海参的身体，就会立即游进一个叫"呼吸树"（respiratory tree）的器官。呼吸树是海参消化道两侧不断分枝的管道，海参通过将水泵入和泵出来进行呼吸，水流进入泄殖腔并汇入呼吸树。所以对隐鱼来说，海参不仅提供了一个休憩之所，还为它带来了不停补给的水源和随之而来的氧气。

有些物种的隐鱼会一直待在宿主身体里消磨时间，安全地躲过在上方海域盘旋的捕食动物。而其他的……则会变得"饥渴"，它们会把海参身上的各种部位当成食物，其中包括生殖腺。我倒不是说海参有多喜欢这种行为，不过实际情况并没有听起来这么恐怖——它们的生殖腺被吃光后还能再长出来，其他器官也是一样。海参是神奇的"再生"大师。可惜，大海里实在是敌众我寡，它们也许能再生被一条隐鱼吃掉的器官，但总会有另一条马上出现，再次潜入它们的身体。曾经有个生物学家甚至发现过体内有 15 条隐鱼的可怜

你永远也见不到海参的牙医

面对隐鱼的侵略，海参也不是全无还手之力的。有些种类的海参体内长有一些钙质突起物，名叫"肛门齿"（anal teeth），形状很像球果。这些"牙齿"的方向全部朝向肛门中心，整体看来有点儿像科幻电影里的那种舱门，不是滑开的，也不是推开的，是类似相机快门那种从中间打开的样子。这些"牙齿"的出现可能就是为了把隐鱼赶走，这也证明，至少有一些海参认为屁股里长牙总比生殖腺被吃了传出去好听。

海参。

如果你认为隐鱼这么做是在忽视彼此的发展需要，再看看下面这件事吧。隐鱼在海参的呼吸树中也没闲着，它们要通过给海参绝育来给宿主带来终极羞辱。其实这种事也很常见，很多寄生动物都会让宿主绝育，这也很容易解释：繁殖后代需要消耗大量的能量和资源——回想一下海扁虫为了避免怀孕付出的努力吧。如果寄生动物能让宿主绝育，就意味着它们能腾出更多的能量供自己逍遥。至于绝育到底是隐鱼自己的战略呢，还是海参的生殖腺刚巧很美味，这一点还不为人知。也许两者兼备，你只能去问隐鱼了。

在多数情况下，我们人类借助庇护所来保护我们相对娇弱的身体不受大自然侵害。而其他动物，也包括寄生动物，会借助庇护所来躲避捕食者。隐鱼也是一样，只不过它们借用的是海参的身体罢了。你要知道，海底其实充满危险，也并不都是结构复杂的珊瑚礁，没有那么多洞穴和缝隙为动物提供足够的藏身之所，大洋之下的大部分区域都是一马平川的沙漠。

隐鱼也并不仅限于住在海参体内。有些种类的隐鱼还会侵入海星体内，还有的会去敲双壳纲动物家的门，比如牡蛎。这些战术似乎比侵略海参好一些，毕竟海参本身很容易受到攻击，从长相看，海参就是趴在海底的一块肉，而且还特别诱人，但实际上并不是这样。海参也有自己的秘密武器——它们会吐出自己的内脏，力图吓退捕食者。

我承认，乍看下面的这种办法似乎并没有什么大的用处，但请听我说完。当海参感受到威胁，体内保持器官位置的结缔组织会瞬间变软，有些种类的海参，甚至连口腔或肛门处的体表也会变软。等到体内的一切都软成一锅粥时，海参会收缩肌肉，把内脏从身体一端变软的部分弹射出去。海参发射到"战场"上的并不仅仅是肠道，有时甚至还会包括呼吸树和——没错，生殖腺

为时尚献上生命

隐鱼的英文名字叫"pearlfish"（直译为"珍珠鱼"），是因为人们经常在打开牡蛎壳时发现它们被包裹在珍珠质中。这种漂亮的材料一般是软体动物用来制造珍珠的。换句话说，它们变成了相当精巧的首饰，只不过自己无福消受罢了。其实，所有珍珠的形成都源自具壳软体动物对外部入侵物的抵御。软体动物会往入侵者身上覆盖珍珠质，将它们层层包裹，让它们动弹不得。研究人员发现，隐鱼入侵软体动物的贝壳后，它们在还活着的时候会像蟾鱼一样急速振动鱼鳔，警告游在外面的同伴。被封在牡蛎的贝壳内看似并不利于声音的传播，但其实贝壳会放大隐鱼振动的频率，仿佛一个麦克风。你住在这种东西里面，大概不会有多开心吧。

（动物界也没什么东西比海参的生殖腺更受累不讨好的了）。有的海参还进化出了更为有力的防御手段，它们会随着内脏喷出毒素。发射内脏是一种恫吓的防御手段，也许 —— 只是也许 —— 捕食者会觉得这些东西又奇怪又难闻又滑腻，因此就被吓跑。虽然听起来对自己的损伤很大，不过海参仅仅在几周内就能把失去的器官再生出来。

有趣的是，这种防御手段并不是由隐鱼触发的，也没有人了解其真正的触发机制。也许对海参来说，再生生殖腺要比再生肠道或其他被喷出去的器官耗费更高的能量。总之，隐鱼选择的避难所就是个活着的、会呼吸的移动房间，靠喷射内脏来躲避攻击，就好像詹姆斯·邦德的座驾，会抛撒铁蒺藜来拖慢追杀者。只不过，海参大概永远也追不到姑娘了，你懂的，毕竟把生殖腺丢掉了嘛。

缩头水虱

问题：漂浮在开放海域可是很危险的（问问翻车鲀你就知道了）。

对策：一种甲壳动物会游进鱼的嘴巴，但它们并不会安分地待在里面——"食舌虫"的绰号不是浪得虚名。

住在海参体内，把海参的生殖腺当晚餐是极好的，但要是想找个风景更优美的地方住呢？比如一个能让你尽享深蓝海景的地方？也许你会以为这么奢侈的地方一定价格不菲——你错了，正好相反，要是能找到像下面故事里一样的地方，你都不用付出什么特别的代价。

这就是"食舌虫"的故事，它的中文名叫"缩头水虱"。这是一种行为诡异的甲壳动物，专门入侵鱼类的鳃，进而进入口腔，吸食鱼类舌头中的血液，并最终取代鱼舌的位置。在鱼的口腔中，它们会扮演假体鱼舌的工作，同时通过鱼的口腔欣赏外面荒凉的风景（至少是在它们变瞎之前吧，一般来说也没多久），之后，它们会离开宿主，抛弃那条鱼，任由它饥饿至死。抛弃了"海景房"之后，缩头水虱也就失去了庇护之所，它们却换来了向下一代传递基因的能力。

首先，缩头水虱得在一望无际的大海中找到"猎物"。幼体一共就那么点儿能量可供消耗，所以在出生的前几天里它们会疯狂地四处游走，寻找"未来的家"，要是没成功，就会转为被动模式，守株待兔，在鱼靠近的时候进行伏击。处于被动态的幼体搜寻的是鱼类的化学信息素，当它们感受到时，会立即重新进入状态，抬头寻找从上方游过、挡住阳光的剪影。锁定目标后，幼体就会急速冲上去，扭动着身子附着在鱼鳃之上。

所有缩头水虱出生时都是雄性。当一只缩头水虱幼体侵入鱼的身体，并发现这条鱼体内还没有同伴占位时，它就保持着雄性身份。但要是另一只雄性幼体到达，先到的那只就会变为雌性，并一路挥舞着7对极其尖利的腹肢划破组织，穿过鱼鳃进入鱼的口腔占据鱼舌。它会在鱼的口腔中度过余生，因此眼睛就没什么用了，视力在其生长的同时就会慢慢退化，它同时失去的还有游泳的能力。

在鱼的口腔中，雌性缩头水虱会利用前端的5对腹肢来进食。这些腹肢中有一些针状物，可以刺破鱼舌，供它们吸食血液。慢慢地，鱼舌就会萎缩，缩头水虱便会取而代之。也就是说，鱼类会"使用"缩头水虱和其口腔上壁一起配合，磨碎食物。因此，缩头水

情人节的悲剧

缩头水虱属于等足目，而在等足目动物中，有很多都比缩头水虱长得大得多。巨大深水虱一般生活在海底，以坠入深海的动物尸体为食，体长可以超过1.5英尺（约45.7厘米）。在深海环境中，你永远无法预测下一顿饭有没有着落，因此巨大深水虱可以忍受相当长时间的饥饿。日本有一只人工饲养的"巨大深水虱1号"（名字有点儿糊弄），其生前曾经受了持续5年的绝食期，直到它死于2014年的情人节那一天。也许它死于情殇，要么就是真的太饿了。

虱其实就和奴役毛虫的刻绒茧蜂一样，为了确保自己的繁殖而给宿主——至少是暂时——留一条命。再说，这些寄生者还得到食物和庇护所了呢。

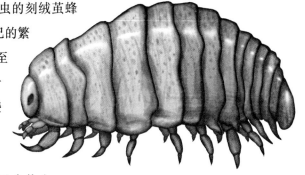

不过，缩头水虱为什么要转换性别呢？其实，对生活在开放海域、需要依靠别的动物生存的动物来说，这是一种十分精明的战略。两只缩头水虱同时附着在一条鱼身上是需要运气的，何况如果它们都是雌性或者都是雄性，那一切努力就全白搭了。因此，缩头水虱就进化出了这种打破性别规则的能力，通过转换自身性别来保证交配的能力。

失去视力的雌性准备产下后代时，似乎还有能力察觉到鱼何时会集结成群，然后它会在鱼群出现时产卵，这就能为后代省下寻找宿主的工夫了。在完成繁殖工作之后，这位新手妈妈总算对宿主放了手，要么从鱼口腔中离开，像块小石头一样沉入水底，要么就让鱼把它吞进肚里。这顿零食对这条鱼来说其实一点儿好处都没有，没了舌头，它只有饿死的份儿。

更为离奇的还有另一种缩头水虱 *Cymothoa excisa* 的生活方式。和普通缩头水虱不同，*Cymothoa excisa* 并不会完全毁掉宿主的舌头然后取而代之（说实话，缩头水虱也不是见谁都这么做的，它们只针对个别种类的鱼下手，然而只会完全取代笛鲷的舌头，具体原因不明），正相反，它们会礼貌地小口吸食宿主舌头里的血液，让舌头不致萎缩坏死。这就意味着 *Cymothoa excisa* 有更多的时间用来交配，因此会有更多的雄性出现在宿主的鳃中，这些雄性甚至还会排起长队。等到鱼口中的雌性死亡，队首那只曾经与之交配过的雄性就会变为雌性并进入口腔，队伍中的下一只雄性与之交配，为这条可怜的鱼带来无穷无尽的折磨。

如果以上这些故事还不够惨，那么渔业的过度发展让被缩头水虱盯上的鱼类的生活雪上加霜。2012年的一项调查显示，在地中海受到保护的海域内，共有约30%的鱼类体内寄生有缩头水虱，而在过度捕捞的海域内，这个数据高达约50%。其原因或许是在人类的捕捞之下，由于自然选择，体形偏小、繁殖更快的鱼类更容易存活，

宿主蟋蟀化身自杀僵尸

像缩头水虱这样，寄生者最终将宿主杀死的寄生现象被称为"拟寄生"（parasitoid）。对寄生生物来说，让宿主活着对它们最有利，而一旦"入侵者"准备繁殖，完成自己的"人生大事"，它们便和宿主走上了不同的"人生道路"，且能随意处置宿主（严格来说，此时它们应该被称为"拟寄生生物"）。

然而，也有一些宿主能在这样的状况下幸存下来。比如，有一种名为铁线虫的寄生虫，它会寄生在蟋蟀体内，改造蟋蟀的思维，并驱使蟋蟀潜入水中自杀。此时，这种好几厘米长的寄生虫就会钻出蟋蟀的外骨骼，蠕动着游走。曾有一位科学家在实验室中见过32条铁线虫钻出一只蟋蟀身体的场景，这只可怜的蟋蟀竟然活了下来。更有意思的是，有一种铁线虫长度可达6英尺（约1.8米），没人知道这种铁线虫会寄生在什么"昆虫超人"体内。不过，那位宿主肯定甘苦自知吧。

与繁殖更慢的同类相比，在生存竞争中更占优势。然而，这些体形更小的鱼对缩头水虱的防御力也更弱，因此被寄生的概率也就更高。

所以大家还是别羡慕鱼了，虽然它们能在地球的绝美海洋中自在畅游，但它们面对的敌人除了人类，还有无数的寄生生物。不过羡慕一下缩头水虱还是可以的，有了免费的房子和无敌的景色，夫复何求呢？

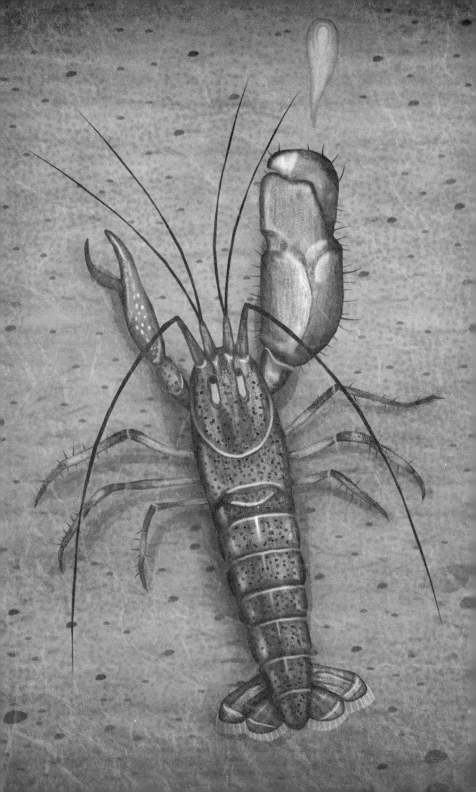

鼓虾

问题：海洋就是个战区。

对策：这种名叫"鼓虾"的小动物生活在一个庞大的社会化种群中，其种群由一位国王和一位女王领导，居住在海绵种群中。在其居住地，还会有负责守卫的鼓虾站岗，手中时刻握着它们独特的武器……

我向来都是不惮以恶意来看待大自然的，大自然的故事充满了你死我活、生吃舌头、精神操控什么的。这是因为自然本质如此——自然解决问题，在这个过程中又创造新的问题，如此循环往复。一种动物进化出武器，其猎物就进化出防御的对策。说真的，在这种环境里，寿终正寝就是种奢侈的运气。这个世界很可怕，让人难过，我很抱歉，但正像诗人阿尔弗雷德·丁尼生（Alfred Tennyson）说的那样："自然，就是血红的爪与牙。"所以难怪有些生物希望聚集成群，俗话说得好，"人多力量大"嘛。

论起社会性，能和鼓虾媲美的生物非常少。鼓虾的名字非常贴切，它们身上长有地球上最有力的一种武器，单独一只就已经非常吓人了，但作为群体，它们甚至还会组建"军队"，修建"堡垒"，只有傻子才会冒险侵犯它们。鼓虾在海底建起了一个君主制王国，就好比陆地上的蚁群。而且，它们的"枪声"也着实惊心动魄。

鼓虾的武器，就是它们巨大无比、奇形怪状的螯（仅有一只，另一只螯就小了很多）。在某些种类的鼓虾身上，这只螯甚至能长到身体全长的一半。通过收缩肌肉，鼓虾能够将螯掰开，使螯的一侧到达一个"上膛"的位置，而对侧保持不动。鼓虾的螯掰开的一侧上有一个突起，而对侧有一个凹陷，当鼓虾收缩另一块肌肉，将螯的两侧闭合时，突起就会被用力压入凹陷，使凹陷中的水以105英尺每秒（约32米每秒）的速度冲出。这样"开枪"会使水流产生空穴现象（cavitation），形成气泡，这些气泡破裂时的温度可达8000华氏度（约4426.7摄氏度），并伴有巨大的冲击波，可以当场杀死或击昏猎物。有趣的是，鼓虾"开枪"时产生的巨大声响其实并不是它的螯发出的，而是气泡破裂时产生的爆破音。

在亚热带浅水区域里，鼓虾能给水下带来巨大的噪声，那是一连串爆破般的声音。每一次"开枪"，鼓虾的"枪响"都能达到210分贝。作为参考，美国语言听力学会（American Speech-

"像谷仓里充满鸡的'咯咯'叫声"

鼓虾发出的噪声曾经干扰过潜水艇的声呐系统。"二战"时期，一阵连续不断的爆破音让一名在印度尼西亚服役的美军潜水艇艇长大惑不解，他认定，肯定又是日本人"往水里扔了什么稀奇古怪的玩意儿"。1956年，《密尔沃基新闻报》（*Milwaukee Journal*）对此进行了详尽（有点儿过于详尽）的报道："人们对这种声音的描述直白又富有诗意：像煤块在沟槽中滚动，像肥肉在锅里翻腾，像沉重的锁链在地上摩擦，像青蛙在鸣叫，像悲叹，像啜泣，像咕哝，像打鼓，像沉闷的汽船鸣笛，像一把想锯断钢铁的钝锯，像谷仓里'咯咯'的鸡叫声，像引擎运转不畅的'噗噗'声，像一个伤心的人在哀号……"

Language-Hearing Association）将割草机 106 分贝的声音定义为"极其吵闹"，将爆竹 150 分贝的声音定义为"令人痛苦"，而与鼓虾的声音比，这些声音可谓"小巫见大巫"，那是名副其实的"力压群雄"。

我们人类开枪是为了杀死对方，有时候也用枪口对空气开枪，表达激动之情——鼓虾也是一样（它们的武器仅限于那只巨螯，不包括另一只）。但在鼓虾身上，"枪"还有更多功能：它们还会用"枪声"进行沟通。在鼓虾的巨螯上长满了感觉毛（sensory hair），这些感觉毛能帮助它们探测水中的冲击波。鼓虾还会用巨螯来决斗，倒并不一定会朝对方"开枪"，更多时候是用来传达一种警告的信号。有些种类的鼓虾甚至还会连发好几次气泡，击碎石块，再用石块来建造巢穴。

说回君主制的话题。一个种群的鼓虾会在海绵中组成一个具有"真社会性"（eusociality）的集团，这种特征其实非常罕见。这种生存方式广泛存在于各种蚂蚁和白蚁的种群中（但不包括蜂类，因为大部分种类的蜂其实都是独居的），但人们从未听过还有其他水生动物以这种方式生存。鼓虾的整个社会都是围绕一位"女王"构建的，"女王"的体形要远大于它的"臣民"，毕竟，雌性的身体越大，其繁殖能力就越强。鼓虾"女王"是整个种群中唯一进行交配的雌性，它和"国王"进行交配，统治着几代后代，就像一位颐指气使的老奶奶。由于地位高贵，"女王"的"枪"会退化，这证明它需要依靠种群的"工兵"来保护。

鼓虾"工兵"也许体形小，却胜在数量上，而且鼓虾的螯也不光能用来恐吓自己人，还能用来传递信号。假如一只鼓虾"工兵"遭遇了一只想要在海绵中藏身的入侵者（比如其他种类的鼓虾，或者某种想要捕食鼓虾的鱼），它就会用巨螯打出一种节奏来请求支援。等到援军到来，"工兵"们会一齐打出这种节奏来吓退敌人。这

请收下这份象征白头到老的祝福

　　另一种有趣的虾住在一类名叫"偕老同穴"的海绵中，这种海绵看起来就像一张光滑的网做成的细长管道。有一种俪虾会在幼年时成双成对钻进"偕老同穴"，但最终它们会由于逐渐长大而无法离开海绵的体腔。因此俪虾夫妇就会在偕老同穴内进行交配，并度过余生。在日本，偕老同穴海绵连同里面的"俪虾夫妇"是一种传统的新婚礼物。还有更贴切的比喻来象征婚姻吗？我觉得没了。

种战术非常有用，尤其当对手是其他种类的鼓虾之时。鼓虾还会用这种战术来击退海绵的天敌，比如海蛞蝓什么的，就当交房租了。

　　这里就涉及一个更加复杂的问题。在动物界，一般来说，大家都是比较利己的，动物个体会付出一切代价来传递基因，而不会冒着自己的生命危险去帮别人达到这个目的。那么，如果你是一只具有真社会性的动物，一只鼓虾，你不能交配，为什么还要在种群中保护"女王"和它的后代呢？看起来，这种行为违背了达尔文的自然选择学说。

　　答案就是"亲属选择"（kin selection）理论。你不必亲自交配，就能将体内的基因传递下去。如果能保证亲属的存活，那么你就间接地将血脉传承给了下一代。没法交配好像是挺遗憾的，不过，如果你是只拥有炫酷手枪以及和睦家庭的鼓虾，作为甲壳动物还有什么不满意的呢？

群织雀

问题：沙漠的环境……有点儿像个烤箱，更别提地上还全是蛇了。

对策：筑个巢来生活就好了。还有更好的办法？比如造一个地球上最大的鸟巢，内含气候调节功能，整个"建筑"大到甚至能压垮树木。

前面那些抢占别人地盘的家伙，来看看这种鸟——群织雀。那些平时钻进人家屁股、嘴里，住在海绵里的家伙，试试自己建造点儿东西吧，人家小鸟还忙着飞走、衔来树枝，修建地球上最宏伟的鸟巢呢。先别忙着争辩，我说的可是20英尺（约6.1米）长、13英尺（约4.0米）宽、7英尺（约2.1米）高的鸟巢，总重可达2000磅（约907.2千克），内部共有100多间巢室，住着多达500只鸟。说真的，这哪里是鸟巢，分明是个大宅院。有时候鸟巢太重了，甚至还会压垮底下的树木。但如果没有发生这种情况，这个鸟巢就能在南部非洲平原上矗立一个世纪之久，是一代又一代群织雀的家园。

群织雀的种群中没有"鸟王"或者"鸟后"，它们是真正的无政府工团群体。群织雀齐心协作，飞遍大地寻找小树枝来建造它们庞大的工程，同时，它们还会找来草叶给巢室"铺墙纸"。鸟巢中的巢室各不相通，在鸟巢底部，每个巢室都有独立的入口。这种建筑结构有助于各个巢室的排雨，也让蛇和捕食者的入侵更加困难。不过有意思的是，虽然群织雀一般会团结起来，赶走进犯的非洲侏隼，但有时它们也会让这种天敌搬进来同住。当然，非洲侏隼可能会偶尔叼走一两只同类，但如此"同居"也是有好处的——非洲侏隼也会捕食蛇类。就把这点儿损失当成保护费吧，虽然这两种鸟类的联盟关系通常也不会太稳固。

和鼓虾种群类似，让群织雀种群团结起来的机制似乎也是亲属选择。对它们来说，共同建造一个巨大的巢穴要比单独建造小巢穴有更多好处。同住在这么一所"大宅院"中，"住户"们拥有充足的个人独立空间，还能远离捕食者。在群织雀的栖息地，夜晚的温度可以骤降至零下，但它们在巢室中聚在一起，就可以让鸟巢内保持温暖的 70 华氏度（约 21.1 摄氏度）恒温，等到白天外界温度升高时，鸟巢内部也还可以保持前一夜的凉爽。

那么问题来了：和鼓虾种群不同的是，所有群织雀的繁殖能力都很强。虽然齐心协力共同传递共有的基因，这一点听起来很有道

服务员，我这汤里有口水

亚洲有一种鸟，它们的巢穴也许没有群织雀的巢穴那么大，价值却更高。在中国，金丝燕建成的小巢，其一磅的价格就可以达到上千美元，可以用来做汤，相传有药效。不过，只有傻子才会花重金去买一堆小树枝，对吧？燕窝是用非常特殊的材料建造的。金丝燕不像其他鸟类，用草叶和树枝搭建鸟巢，它们会用有黏性的唾液，在洞穴的壁上"吐出"一个茶杯形状的巢。燕窝在印度尼西亚非常走俏，当地人甚至会花上 16000 美元给金丝燕建造一座三层的水泥楼房，还会播放 CD 吸引更多金丝燕，甚至还能提供食物，控制内部气候。

理，但动物根本上还是利己的。当大家全都飞出去，忙着共同建造家园的时候，独自留在房间里，增加自己和后代存活的概率，听起来也是很诱人的。或者，也可能有群织雀完全抛弃职责，整天致力于觅食，让自己长得更大、更壮，或是致力于交配，传递自己的基因。人们估计，在种群中，这样"自私"的基因应该会越来越多，因为"自私"的个体势必会有更多的后代存活。确实，在群织雀种群中的确有一些"懒汉"，它们自认为可以躲过劳作，直接享受"宅院"带给它们的好处。

但这样的"偷懒"持续不了多久。在人工养殖的种群中人们观察到，有一组"小分队"专门追索这群"懒汉"，一旦抓住就会一通狂啄。当然，我们应当谨慎对待这一观察结果，在人工养殖的状态下，动物行为有可能产生巨大的变化；再说，在这种条件下，这些鸟飞行的空间也十分有限。不过在野外，科学家也曾多次观察到类似的追击。这些行为都能帮助"懒汉"遵纪守法。要注意的是，"懒汉"并不会被驱逐出种群，其他鸟也只是在提醒它们在社会中的位置而已。被赶出鸟巢一段时间后，它们就知道乖乖回来工作了。这种"攻击"行为本身就大大提高了这些"懒汉"受伤的可能性，这种代价要比做好自己的工作大多了。诚然，它们未来可能偶尔还会自私地留在鸟巢里，保证自己的存活，传递自己的基因，但它们同样也会为建造鸟巢贡献力量，以确保"社会"的发展和整个种群基因的延续。

那么，我的下一记绝招是……

有一种名叫"暴雪鹱"的鸟，虽然不像群织雀一样有数量的优势，却进化出了一种更为别出心裁的自卫方式——暴雪鹱的雏鸟在遇到捕食性鸟类时会喷吐一种恶臭的油，最远可以吐上 10 英尺（约 3.0 米）。这种攻击的后果可不是有碍观瞻那么简单。这种油洗不掉，这对鸟来说是个大麻烦，因为它们的羽毛需要保持洁净才能防水。要是沾上这种"呕吐物"的面积大，暴雪鹱的"受害者"可能真的会遭遇生命危险。

然而，最精彩的戏码还是留给人类吧。19 世纪，苏格兰圣基尔达群岛的居民把暴雪鹱的羽毛做成床上用品的芯进行售卖——当然是除臭了的羽毛。据说这样的床品不生虱子和臭虫。不过，三年后这种特有的臭味就会复发，成为床上之人的噩梦，非得把整座房子烧个精光才能除掉异味。

群织雀种群的生活方式颇有点儿"无政府主义"的意思，之前我也说过了，它们就是纯粹的无政府工团群体。但其实，在群织雀的鸟喙下端，还有一个神奇的特征——几条黑色的条带从鸟喙延伸到颈部，与其体表棕黄色的羽毛形成对比。这是它们社会地位的象征，条带越长，这只鸟的社会地位越高，在种群中就越占主导。不过，在整个种群中，似乎也并没什么成员去挑战地位高的个体。动物界常常依靠体形来判定地位，可对群织雀来说，羽毛颜色的条带却更为重要，这种方式其实非常实用。

综上所述，群织雀的社会地位来自其颈部的羽毛条带和集体对偷懒者的追赶。它们坚守在同伴的身边，克服了"自私"的进化趋势，在南部非洲平原上发展出了显著的竞争优势。至于这种社会性从一开始是如何发展而来的，它们的鸟巢给出了线索。巢室之间互不连通，这说明它们就像当年美洲的原住民抵御外敌一样，也曾在同伴周围建造过小面积的"独栋住宅"，享受"人多势众"的安全感（比如方便相互警告危险，组成小队驱赶捕食者等），随着时间的推移，它们逐渐把独立的小鸟巢合成了地球上最令人叹为观止的"大宅院"。最终，在找到办法克服"自私"后，这种鸟终于成了整片平原的霸主。

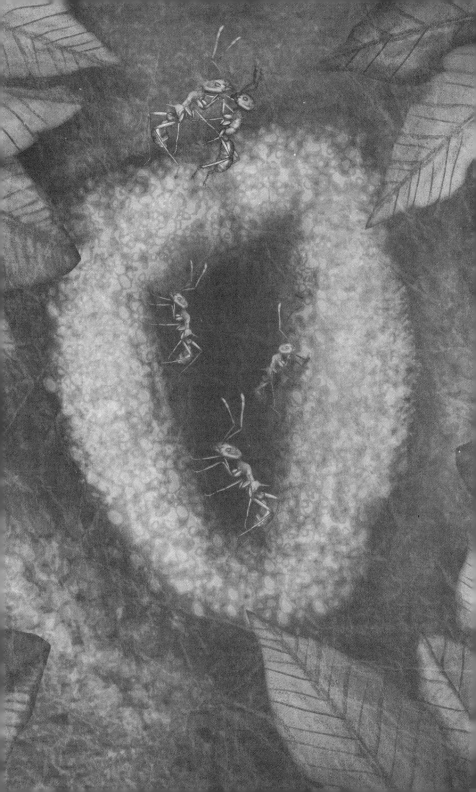

耳巢拟盘腹蚁

问题： 雨林里湿漉漉的，充满了讨人厌的生物。

对策： 有一种耳巢拟盘腹蚁能够建造出地球上最简单，同时也最令人迷惑的蚁穴。为了保护家园，它们不惜做出"自杀式"的努力。

几个世纪以来，博物学家研究方法的变化真可谓天翻地覆。过去，玛丽亚·西比拉·梅里安、查尔斯·达尔文和阿尔弗雷德·华莱士只能依靠双腿，有时这种徒步研究甚至能持续好几个年头。毕竟，那个时代，能帮助他们研究的地图还不存在。早期的博物学家都具有浪漫主义思想，也许他们除了身怀找寻新物种的志向，还有对漫步的钟爱，即便在漫步中偶尔也会沦为毛虫的攻击对象。然而，随着科学的迅猛发展和日渐成熟，以前的博物学研究者如今也被分为了"各大门派"——昆虫学家醉心昆虫，鸟类学家研究小鸟，鱼类学家专注游鱼……那些曾经漫游于世的博物学家如今成了稀有物种，而这不仅是因为他们中的大部分人已离世。现今，科学家的资金普遍短缺，而研究又耗费高昂，他们也就都专攻一个精专的领域去了。

因此，2013 年，全世界最著名的蚂蚁学家之一，布莱恩·费舍尔（Brian Fisher）来到遥远的马达加斯加岛的雨林中，手里端着现代生物学家的"奢侈品"——一台 iPad。他没有当年达尔文所拥有的资源（达尔文还得感谢他富有的爸爸资助了他的整场探险，尽管有些不情愿。不过这又是另一个故事了），也没有梅里安和华莱士拥有的充裕时间。在他面前，只有一群对目的地全然不知、口渴难耐的脚夫。在之前的一次探险中，费舍尔在一座山顶上发现了一种神秘的蚂蚁，它们的蚁穴从悬崖的一侧凸出来，看起来就像一只耳朵形状的漏斗。一家图片公司和他达成协议，让他试用他们在这座山顶附近的卫星，他的 iPad 则满载着卫星传来的最新图片。耳巢拟盘腹蚁后来被人冠以敬称"英雄蚂蚁"。此次，费舍尔和同事，以及他的脚夫团队正是去查明这种蚂蚁在蚁穴的穴口造出一个形似扩音器般结构的真正原因。

费舍尔的团队提出三种推测来解释耳巢拟盘腹蚁的蚁穴为何如此奇特：第一，这只"漏斗"可能会被用作阻挡雨林中小型捕食者来犯的障碍，耳巢拟盘腹蚁可能会爬到漏斗结构的顶端，在制高点与入侵者搏斗；第二，这种结构可能用来防洪。毕竟，"雨林"顾名思义，就是经常下雨的森林；第三，这只"漏斗"可能有助于空气的流通，将洞口造成这种形状，也许比单纯的圆形洞口更方便氧气

水肺潜水，要为了活命拖延时间？这款 APP 适合你！

我曾经采访过一对海洋生物学家，他们会定期戴水肺潜水到 400 英尺（约 121.9 米）的深度。你要还想活，这个深度简直是天方夜谭。下潜到这个深度，你要整整潜上 7 个小时，然而在目的地仅能停留 20 分钟，因为你要留出时间来慢慢上浮和减压，不然就会得潜水病。经过计算，在上浮过程中，他们设定了好几个休整站，最初休息一分钟，最后一站接近水面时要休息两个小时。那么他们到底是怎么打发这段时间的呢？——在一台防水 iPad 上玩"愤怒的小鸟"游戏。干得好，科学家！

的流人。

我猜你一定认为，在这个漏斗形的人口之下，是一张庞大的地道网络吧。不是的，它们不是那种蚂蚁。"漏斗"本身只有不到 2 英寸（约 5.1 厘米）宽，下面的蚁穴也只是一间仅有 3 英寸（约 7.6 厘米）深的"单间"。就是这么简单。在这间简单的蚁穴里，你能找到蚁后、幼虫和所有进进出出、忙前忙后的工蚁。它们是地球上已知的唯一如此筑巢的蚂蚁，不过这可能都与其用来筑巢的材料有关。

人们发现，蚁穴穴壁的湿黏土无法让蚁穴内部与外界进行气体交换，因此蚁穴内很容易发生一氧化碳聚集。把蚁穴建得如此之浅可能也实属无奈——在太过盘曲的地道中，空气实难流通。费舍尔团队的计算结果表明，建造漏斗形洞口之后，耳巢拟盘腹蚁将蚁穴内的空气流通量提高了 6 倍，这对只有一个通风口的"单间"来说已经很不容易了。他们还发现，漏斗形洞口的确能够防止水流入蚁穴。说不定，建造"漏斗"这个行为本身主要是为增加空气流量进化而来，却也有了保持蚁穴舒适、干燥的额外好处。

那么这种蚁穴究竟能不能帮助防御呢？对这个推测的研究体现了野外生物学家工作的有趣之处。费舍尔团队在耳巢拟盘腹蚁的蚁穴旁边放置了 8 种其他种类的蚂蚁，其中包括来自其他种群的耳巢拟盘腹蚁、两种以其他种类的蚂蚁幼虫为食的蚂蚁，并观察这些人侵者如何通过"漏斗"，以及里面无辜主人们的反应。结果显示，漏斗状洞口在防御方面……一点儿用都没有。耳巢拟盘腹蚁不会站在"漏斗"上与外敌搏斗，每只外部侵略者都能毫不费力地钻入它们的蚁穴，可即便此时，耳巢拟盘腹蚁依然不会发出任何警报，唯有直面敌人之时，它们才会燃起斗志。

另外，和以团体作战出名的行军蚁不同，耳巢拟盘腹蚁即便"燃起斗志"，也不会组团行动，它们是单打独斗的战士。费舍尔团队观察到，英勇的耳巢拟盘腹蚁不仅会抓住入侵者，还会把它们拖到"漏斗口儿"，然后纵身一跃。它会抱住敌人，与其一同滚下"悬崖"，尽显其"英雄"的气概。由于蚂蚁体重很轻，且外骨骼坚固，两者都不会有生命之危，耳巢拟盘腹蚁会爬回蚁穴，但入侵者一般不会再进行第二次冒险了。而且，"战斗英雄"的凯旋还会受到"家人"的欢迎，毕竟耳巢拟盘腹蚁种群很小，只有十几名成员，每一个成员都是蚁后的宝贵财富。

在高中生物课程中我们学过，一般来说，雄性蚂蚁长有翅膀，其生存唯一的目的就是交配，而一只来自邻近蚁穴的雌蚁会飞过来，与之交配，然后雄蚁就会死亡。雌蚁再跑到其他地方，自断双翅，并白手起家建立新的巢穴，成为新的蚁后。

但耳巢拟盘腹蚁的"夫妻生活"却不是这样的。直言不讳地说，耳巢拟盘腹蚁的蚁后属于"拟工蚁"（ergatoid），它们没有翅膀，

蚂蚁的高空冒险

我们可以把耳巢拟盘腹蚁的防御手段看作刻意的"自杀式"努力，不过龟蚁属（*Cephalotes*）的蚂蚁就真可谓蚂蚁王国中优雅的"跳伞"选手。龟蚁属的蚂蚁全部树栖，一旦受到威胁，它们会张开腿脚，从树枝上一跃而下。通过三对足灵活的调整，它们能准确地降落回这棵树的树干上，然后一路爬回蚁穴。我们会知道这一点，是因为一名科学家曾坐在一棵树下，抓起这些蚂蚁，把它们涂成白色，然后投向空中进行观察。这是没问题的，真的，95%的蚂蚁最终都平安无事地降落在了树干上。至于剩下的那5%……嗯，谁也没说过跳伞是绝对安全的嘛。

似乎只能等待长有翅膀的雄蚁找到它们。其交配行为到底是在原有的蚁穴内发生，还是在它自己开掘新的蚁穴之后才发生，目前尚不明确，可这对蚁后来说其实不重要，关键是它在离巢的同时也会带走一批工蚁。这些工蚁全部都是雌性，不管蚁后在哪里建立新蚁穴，都有充足的劳动力为其服务。而其他种类的蚁后则必须等待自己的卵都孵化后才能建立"工人队伍"。因此，不管耳巢拟盘腹蚁的蚁穴看起来有多不安全，它们的小社会都有个十分甜美的开始。未来生活仅有的坎坷，也就只是偶尔在自家门口摔上一两跤罢了。

第四章

你周围的环境

在本章中，小小水熊虫飞上了太空；僵尸蚂蚁蹒跚地走过雨林。

有时，在最温暖的口腔和最舒适的肛门中安家也得不到美满的生活——周围的环境太差劲了。面对这种情况，动物们有这么几种选择。它们可以搬家，也可以适应。比如，一种蜘蛛不想成为别人的晚餐，所以就搬进了水中。再比如，如果你是一只在地道中生存的裸鼹形鼠，你就会进化出有弹性的皮肤，帮你挤过狭窄的地道。而且，你的皮肤还内藏抗癌的秘方呢！

水熊虫

问题：淤泥是个合适的栖息地，只要别干了就行。

对策：要是淤泥之家即将干涸，这种名叫"水熊虫"的小生物也会随之脱水，直至几乎完全干燥。水熊虫甚至可以保持这种状态达 30 年之久，遇水则会再次复苏。

生命不息，奋斗不止。大洋深处，冰冷刺骨、压力极端、食物匮乏，可即便是在这么不友好的环境中依然会有生命存在。每个你认为不适宜生存的角落都有挣扎存活的住客 —— 切尔诺贝利被污染的森林中不乏生命，黄石公园滚烫的热泉是细菌的家园，唯有外太空的真空环境没有生命。当然，没有东西能在那里存活。

然而，有这么一种小生物，它们的字典里压根儿就没有"不"字。

2007 年，欧洲航天局（European Space Agency）发射过一颗卫星，卫星里有一群特殊的乘客：两种缓步动物门（tardigrade）的动物。由于这类动物和熊 —— 尤其是小熊软糖 —— 有几分相似，故又名水熊虫（不过水熊虫的腿比小熊软糖多一倍，也和软糖不是一种口味）。这些体形极小的无脊椎动物早已声名远扬，它们耐热、耐冷、扛得住放射线的辐射，于是就有科学家突发奇想："把它们送上太空怎么样？"他们真的这么做了，水熊虫被带上了近地轨道。在近地轨道上，它们在真空环境中暴露了整整 10 天才返回。实验结果令人吃惊，它们活了下来，还活得舒舒服服。凯旋的水熊虫可不是可怜巴巴的一两只残兵，而是整整一大群，就连卵也挺过难关，孵化出了健康的后代。

不过，这里的问题在于——水熊虫"作弊"了。别误会我的意思，能活着从外太空回来确实很了不起，但这其实源于它们在进化过程中学会的一个小伎俩。水熊虫在泥土、苔藓等环境中存活时，需要周围至少保持一定的湿度，要是栖息地开始变干，水熊虫便会主动脱水，直到体内仅剩正常含水量的 3%，然后它们会将身体蜷缩起来，进入一种名为"隐生"（cryptobiosis）的状态。从本质上讲，它们暂停了生命活动。隐生现象最初由科学家安东尼·列文虎克（Antony van Leeuwenhoek）于 1702 年在另一种生

小狗的冒险：俄国史上最有俄国气质的故事

人类将动物送上太空的历史漫长而奇特，而其中最奇特的还要数俄国人干出的那些事。第一只被送上地球轨道的动物是一只从莫斯科街头拾获的流浪狗（人们觉得流浪狗更有活力，也更适合面对苍茫太空）。1957 年，仅在发射 9 天前它才"应征入伍"。然而，这件事的关键之处在于，没人有时间为其制订回收计划。因此，它的旅程注定只能是单向的。发射前，一名苏联科学家将小狗带回了家，让它和他的孩子们一起玩耍。"我想为它做点儿好事，"他叙述道，"它已经时日无多了。"

小狗根本没有撑到返程——发射仅几小时后，它就由于体温过高去世了。但如今，在莫斯科的一家博物馆中，它的形象正骄傲地站在一艘火箭上，以另一种形式得到了永生。俄罗斯人叫它"莱卡"（Laika），但美国人则永远称呼它"穆特尼克"（Muttnik，有"卫星小狗"之意）。

物身上发现。他从住宅的排水沟里收集了一些干燥的沉淀物，然后向其中加入水，没想到实验材料中突然出现了生命——"微动物"（animalcules），这是那时的人们给这些个体微小的动物起的一个总称。

正是在这种隐生状态下，水熊虫才有了几乎刀枪不入的能力。隐生状态下，它们会动用体内的糖类来替代损失的水分，保护细胞，并可保持隐生状态长达 30 年，最终依旧能完美复活。也就是说，当科学家将水熊虫送上太空时，它们其实是脱水变干了，回到实验室之后才重新复苏，整个复活过程用时大约一小时。

虽然我用了"几乎刀枪不入"的说法，可你直接说"刀枪不入"也没关系。除了直接扔进火焰里炙烤，再没其他什么好办法能把它们杀死了。把水烧开到 100 摄氏度，对它们来说就像在阳光夏日里享受水疗。水熊虫体内的恒温系统可以承受高达 300 华氏度（约 148.9 摄氏度）的高温。你说什么，在酒精里煮沸它们？没用的。水熊虫还能承受比大洋最深处的水压再大 6 倍的压力，你还可以用百倍于人类致死量的放射线照射它们，它们也能轻松承受。说实话，在太空里遨游的时候，有些水熊虫甚至遭到了紫外线的辐射。要是没有大气层的保护，紫外辐射带有的破坏力极强。紫外线消灭了大部分水熊虫，但幸存者依然存在。

也许最让人惊讶的，还要数水熊虫耐寒的能力。绝对零度——零下 459.67 华氏度——是物质理论上可能达到的最低温度。当然，实际上没有任何物质能达到绝对零度，不过在实验室环境下，科学家可以人为逼近，世界纪录的最接近温度仅比绝对零度高一百亿分之一华氏度。在隐生状态下，水熊虫可以在零下 458 华氏度的温度下存活，这个温度仅比绝对零度高 1.5 华氏度，甚至比实验室外自然环境下的最低温度还要低。实验室外的最低温度大约为零下 455 华氏度，只存在于外太空最黑暗、最孤寂的角落中。

如何饲养宠物水熊虫，或者装作很会养的样子

好了，讲到现在，你肯定想养一只宠物水熊虫了吧？好消息：你们家后院就有。铲点儿泥土，倒进培养皿，然后加点儿水，把培养皿放在显微镜下，你就会发现这些憨态可掬、长着八条腿的水熊虫和其他许多微生物一起四处畅游。就算没有显微镜，你也可以往盘子里搞点儿泥土，然后假装养了几只。人生如戏，全靠演技。

这么说吧，在已知的宇宙里没有其他生物会经历的低温环境中，水熊虫也能存活。极端低温只有在疯子科学家的实验室里才存在。这对我们理解生命的本质有重要意义。作为地球生命的一员，水熊虫的生存环境相对友好。地球上有温暖的大气、无尽的水源和充足的阳光。但并非每颗行星都如此。以我们身边的月球为例，月球的表面温度在零下 280 华氏度（约零下 173.3 摄氏度）到 260 华氏度（约 126.7 摄氏度），这对水熊虫来说不成问题。月球表面还有各种各样强烈的宇宙射线，这些射线能破坏 DNA，要是你想在那儿传宗接代、传递基因，这就是个棘手的问题 —— 对大部分我们已知的生物都是这样，但不包括水熊虫。水熊虫能自我修复被辐射破坏的 DNA。而且如果水熊虫如此顽强，在宇宙中就肯定会有其他生

物，其生命力更加旺盛，栖息在各种我们认定不适宜生命存在的奇特、残酷的环境中。因此，寻找地外生命之前，我们也并不一定非要先找到另一个地球。水熊虫的例子告诉我们，在你意想不到的地方，也有可能有生命在奋斗。

其实，水熊虫最想要的，无非就是在干燥的环境下幸存而已。这倒给了它们另一个好处：自身脱水之后，它们很容易被风吹起来，随风扩散到很远的地方。因此，从海底到山顶，世界上没有水熊虫的地方非常稀少。你怎么想我不清楚，但我是很荣幸能和水熊虫共享地球的。要我说，我们就应该把它们装进火箭，发往太空，让它们去其他星球殖民，这样外星人们就也能享受它们的陪伴了。不过这么做好像挺不负责任的，是挺不负责任的，是吧?

水蛛

问题： 在陆地上生存就要面对难缠的捕食者，还要面临食物的竞争。

对策： 有一种蜘蛛抛下了这些麻烦，跑到了水下。它们会用屁股制造一个充满氧气的大气泡，然后定居水下 —— 是永久定居。它们是唯一终生都生存在水下的蜘蛛。

在陆地上生存可不像路边野餐那么简单 —— 当然，你要是处于食物链顶端，那倒确实像是野餐。不过，如果你在食物链里"垫底儿"，那你就是别人的"野餐"。就拿蛛类举例吧，它们确实算得上是捕猎大师，但也有一大群动物以它们为食。因此，想要活命的蜘蛛可以藏起来，利用伏击的手段抓捕猎物，比如活板门蛛；或者可以模仿其他"口感不佳"的动物，比如隆头蛛，俗名又叫"瓢虫蜘蛛"，浑身长有红黑相间的斑点；再或者，你也可以学学水蛛，收好行李，彻底离开陆地。

我不想对蜘蛛的生活指手画脚，但它们真的不属于水生动物。不过，水蛛找到了一种非同寻常的生活方式。它们全身长满防水的绒毛，在游泳时会定期将屁股浮上水面，制造一个银色的气泡，然后再带着气泡回到水下。

我知道你在想什么。怎么又是一种拿屁股呼吸的动物？这些拿屁股呼吸的动物脑子出了什么问题？嗯……好消息是，蜘蛛不是这样的，它们其实是通过下腹部呼吸的。水蛛共有两种呼吸方式：第一，在水蛛的外骨骼之下有一个叫"书肺"（book lungs）的器官，因其具有一系列薄片状结构，形如书页而得名。书肺中充满血淋巴（hemolymph，相当于蛛形纲动物的血液），血淋巴能从空气中吸收氧气。第二，其外骨骼上的孔洞可以使氧气直接流向器官和其他组织。通过这两种方式，水蛛只需将腹部暴露在空气中，就能把嘴巴解放出来捕食了。

由于水蛛在水下筑巢，这样的呼吸方式极为有用。长时间在水中游泳既危险又耗费能量，因此水蛛会在植物之间结网筑巢。和它们的陆生近亲编织一大张网不同，水蛛的巢更像一个中空的球体，呈钟罩形，大小只须容纳水蛛的肚子就好 —— 不过有时候它们也会把巢扩大到足以自由出入的程度。水蛛需要不时地浮出水面，将空气带到水下，储存在巢中，所以才能一直在水中生存。而且，如果它们活动不剧烈，浮出水面的频率也不需要很快，只需大约一天一次，其原因是，和在水面上一样，氧气可溶于水，也会从水中释放，

屁股：被低估的资源

曾有一位编辑建议我去做心理治疗，因为我特别喜欢写各种动物屁股的奇怪用途，但这其实不是我的错，真的。很多动物会拿屁股做奇怪的事情，或者说，会在别的动物屁股里做各种事情，比如隐鱼。我觉得拔高点儿说，就是因为我们把动物界拟人化了。隐鱼住在海参的屁股里，或者有一种水蛭特别喜欢生活在犀牛的直肠里，你认为这些很诡异？好吧，但在大自然千百万年的发展历程中不乏这样的"怪癖"。也许我说这些只是为了省钱不去做心理治疗？讽刺的是，只有心理医生才分辨得出来。

因此水蛛消耗的氧气很快就能得到补充。

另外，雄性水蛛和雌性水蛛的生活稍有不同。雄性水蛛更加活跃，而雌性水蛛则更倾向于在巢穴中安然度日（它们也会在巢中哺育后代，随着后代的成长而逐渐扩大巢的空间）。说来你可能不信，水蛛的游泳技能很强，尤其是雄性水蛛。追捕小型鱼类或小型甲壳动物（如水虱）时，它们会以腿当桨，快速划动，推动

身体前进。相对而言，雌性则更喜欢在家中伏击猎物，静候猎物撞上蛛网，然后再迅速出击。水蛛在把猎物拖进家中之前，还会先把巢扩大，带进更多空气，然后再"步入家门"，安享美餐。

上述的这些生活方式的区别可以解释水蛛的雄性比雌性体形更大的原因。你也许会觉得奇怪，因为我曾经说过，这种情况在动物界中并不常见。对蜘蛛来说也是一样，雄性比雌性长得更大的物种非常少，原因在于雌性蜘蛛需要更大的体形来哺育一大群后代，而雄性则更注重活动的灵活性。在陆地上，小体形有助于蜘蛛的活动，甚至还有某些种类的蜘蛛由于体形过小，能够通过喷出一根丝，让这根丝随风飘荡而"起飞"。这种让自己"飞行"的手段称为"飞航"（ballooning）。飞航的效果极佳，曾有报道称，离岸几百英里的水手都曾见过"会飞的蜘蛛"登上他们的船……也许，飞航的效果好得有点儿过头了。

母子关系可谓剑拔弩张

除生殖器官的区别外，同一物种两性间身体特征的差异被称为"性别二态性"（sexual dimorphism）。性别二态性可以体现在体形上，如水蛛，也可以体现在颜色、形态上，如孔雀。也许，将性别二态性表现得最明显的，还要属捻翅目（Strepsiptera）昆虫了。这是一种寄生在其他昆虫体内的小生物，雄虫看起来比较正常，有点儿像苍蝇，长有翅膀和腿脚什么的，而雌虫，说白了，就是一个装卵的袋子，没有眼睛，没有肢体，没有翅膀，甚至没有口器。它们侵入宿主的身体，并戳破宿主的腹部，将自己的生殖器官暴露在外。此时，就会有雄虫过来与之交配。数以百万计（你没看错）的后代出生后，将从母亲体内把母亲吃光，然后离开宿主的身体，走向世界。

然而，若要在水下生态系统中讨论活动的灵活性，结果就不一样了。你需要更大的体形，来更轻松地抵御水的阻力，所以雄性水蛛的体形更大，足也很长，可以帮助它们划水。这种体形有几个优势：首先，你的游泳能力越强，你就能越容易地捕获猎物，同时避免自己被天敌捕获；其次，从水面把一个气泡带到水下也是很费力的，因为带着气泡的水蛛自身的浮力会大大增加，此时，体形就是力量；最后，最大、最强壮的"泳者"也能接触到最多的异性。因此，和水蛛在陆地上的近亲不同，自然选择更加偏向"身材魁梧"的个体。

当然，搬到水下生活也会遇到很多困难。水下的捕食者和陆地上的一样凶狠，如何在水下进行呼吸也是个棘手的问题。不过换到一个新环境生活有一个很关键的优势 —— 水蛛将占据一个更加有利的生态位，安居水下，抓一抓小甲壳动物。它们把陆地同类激烈的生存竞争抛在了身后，在水下独享垄断地位。想象一下，你从穷街陋巷迁居到一个与世隔绝的小屋里，就是小屋里水多了点儿 —— 差不多就是这个感觉吧。

僵尸蚂蚁

问题： 热带雨林里不刮风，真菌如何传播孢子是个大问题。

对策： 蛇形虫草属的真菌会入侵蚂蚁的大脑，给它们"洗脑"，控制它们爬到树上特定的位置，并命令这些"僵尸"咬住叶片，最后夺其性命。随后，真菌会从蚂蚁的脑袋里迸裂而出，撒向大地。

以下的故事，估计你一个字也不会信：

有一种真菌，其孢子首先附着在弓背蚁的外骨骼上，利用酶溶解"猎物"的外骨骼，同时施加压力，将自己挤进蚂蚁的身体。在蚂蚁体内，真菌孢子开始大量繁殖，并会在接下来的三周内占据蚂蚁体重的一半之多。在整个过程中，"僵尸蚂蚁"的行为一切如常，还会爬来爬去，随心所欲地做各种事，而它的同伴则对种群中混入了这只"恶魔"浑然不知。

某一天，这只蚂蚁不见了。真菌"命令"它在中午时分离开蚁穴——总是中午。蚂蚁跌跌撞撞的，明显不正常。它被驱使着，爬到离地面 10 英寸（25.4 厘米）高的一片树叶上——总是 10 英寸高。真菌已经为自己找好了最适宜生长的地方，这里有完美的湿度和温度，更关键的是，这里还正好位于附近一个蚁穴的蚂蚁外出的惯常路径上方。随后，真菌会继续"控制"它的"僵尸"宿主爬到叶片背面，用双颚一口咬住叶脉，咬得死死的，并最终结束它的性命。一切停当之后，真菌就会从蚂蚁的脑袋里伸出一条柄，并向下方的蚁穴路径抛撒孢子。就算蚂蚁只是位于路径附近，并未在其正上方，真菌的柄也能自动弯成一定的角度，保证孢子能覆盖在路径上来来回回的蚂蚁。更有甚者，多只被"僵尸化"了的蚂蚁还能反过来攻击这条路径上的同类，就像在路旁埋伏的狙击手，瞄准昔日的伙伴，将这个可怕的循环重新开启。

我隐约感觉你可能还是不信我，不肯相信这类真菌——蛇形虫草属真菌（*Ophiocordyceps*）——能够策划出地球上最惊人、最复杂的寄生关系，况且，这种真菌连脑子都没有（真菌其实并不属于动物，也不属于植物，但它们能利用堪比顶级智慧生物的算计，创造出一种独特的"生物"——僵尸蚂蚁）。你肯定也不相信，这类真菌的不同种类，还会有针对性地攻击不同种类的蚂蚁。然而——这些都千真万确。这样的戏码每天都在上演，而且已经上演很久了——科学家曾在 4800 万年前的叶片上发现过"僵尸蚂蚁"标志

真菌养殖专家

虽然弓背蚁种群会受到"洗脑真菌"的威胁，但几种南美洲切叶蚁需要和真菌共生。在热带，树叶有时候是有毒的，因此外出觅食的切叶蚁不会直接把叶片吃掉，而是将其咬断，带回巢穴。在蚁穴内，蚁群的其他成员会将这些树叶咬碎，再吐出来供一种真菌食用，蚂蚁再回过头来吃掉不断繁殖的真菌。不过，问题在于，这种真菌在生长中常常会被一种攻击性极强的霉菌污染。不要担心——蚂蚁也会引入一种特殊的细菌来对抗入侵的霉菌，保证对其有利的真菌能占领优势地位，避免竞争，持续为种群提供食物。

性的咬痕。

通过某种途径，"无脑"的真菌学会了利用蚂蚁作为其孢子的运输工具，这很可能是由于雨林中没有风来帮助其传播孢子。雨林中的植物太多、太密了。所以，为了广泛地繁殖，蛇形虫草属真菌花费上百万年的时间，与蚂蚁共同进化，学会了如何入侵它们、控制它们、命令它们前往丛林中的各个位置。说实话，这对蚂蚁来说还挺丢脸的，它们群体的社会性那么发达，却会被小小的真菌玩弄于股掌之间（就好比你被你家的盆栽洗脑了）。

科学家还是刚刚开始揭秘在真菌入侵过程中蚂蚁身体和神志发生的变化，但我们完全可以想象，这种变化绝对很难受。目前已经探明，这种真菌会释放一种神经调节素（neuromodulators），这种化合物能在蚂蚁的神经元上捣乱。不过，蛇形虫草属真菌对蚂蚁的控制也并非天衣无缝。爬出蚁穴时，由于神经调节素影响了肌肉功能，蚂蚁的身体会剧烈抽搐、颤抖，很像酒精对人类意识和平衡的影响，只是神经调节素对蚂蚁身体的控制更加细致。于是，在真菌的指挥下，这只"僵尸"步履蹒跚地离开巢穴，走向最适宜真菌生长的指定位置。

值得注意的是，蛇形虫草属真菌与一种人类致幻剂的原料——麦角菌是近亲。这两种真菌在精神控制上都很有一套，而且都经常为人类所用。举例来说，在青藏高原上，蛇形虫草属的某些真菌会攻击不同种类的昆虫。大约 1500 年前，有人发现了这种寄生现象，注意到牦牛在吞吃牧草的同时，还会吃下一些"小菜"——头上长着真菌柄的蛾幼虫。吃了这种"小菜"，牦牛会像大脑突然"短路"一样开始疯狂乱跑。由此，人们就开始贩卖这种被真菌感染了的毛虫。那时候，1 盎司（约 28.35 克）这种毛虫就能卖出高达 2000 美元的天价，据传吃了之后能让人"重振雄风"。

青藏高原上的真菌攻击的是毛虫，它们可比自己那些攻击蚂蚁的近亲要活得容易多了。你可能会想，既然这些真菌已经成功"进驻"蚂蚁体内，它们又到底为什么要费尽周折，操纵宿主离开蚁穴，单独在雨林中行动呢？这是因为，蚂蚁也是相当足智多谋的动物，它们一眼就能看出同伴的行为不正常。如果一群蚂蚁中有一只开始出现异常的举止，它要么是生病了，要么很可能是被"洗脑真菌"给感染了，其他蚂蚁就会把它拖出蚁穴，扔在附近的一片坟场里。这种行为被称为"社会免疫"（social immunity），蚂蚁正是

为全年龄段的残酷儿童开设的僵尸蚂蚁养殖场

在很长一段时间里，科学家认为"洗脑真菌"只存在于热带雨林中。但2009年，蛇形虫草属真菌研究的专家，来自宾州大学的大卫·休斯（David Hughes）偶然看到了几张来自美国南卡罗来纳州的照片，一位女士在自家后院中发现了这类真菌。南卡罗来纳州的真菌和它们在雨林中的"兄弟"一样聪明，甚至还有所超越。在雨林中，树叶一整年都不会落下，你可以随时去咬，但在美国，由于四季分明，会出现落叶的现象。因此，北美洲的真菌会驱使蚂蚁去咬树枝，这样就不会受季节的牵制了。所以，如果你是蚂蚁，请记住：这世上没有绝对安全的地方，除了蚂蚁养殖场。当然，除非有人能开一家"为全年龄段的残酷儿童开设的僵尸蚂蚁养殖场"。

先告辞，我要去赚大钱了。

通过这种方式来避免有可能使整个种群灭亡的事件的。然而，在几百万年的时间里，以蚂蚁为主要宿主的寄生生物（如蛇形虫草属真菌）也在随着蚂蚁一起进化，并已想出更加聪明的对策。寄生性蚤蝇入侵火蚁也是一样的道理，它们没理由让宿主留在种群中等着被发现，所以就驱使宿主"离家出走"，找个清静的地方再终结宿主的性命。

你还在听我讲吗？现在你相信了吗？我只能强调，我说的这些都绝对真实，而且人类到现在还没有解开这种寄生关系的全部秘密。比如，为什么真菌不把整个蚁穴的蚂蚁全部杀死，还要留下它们的性命，把它们作为运输工具，利用它们接触更多蚂蚁呢？一部分原因在于，也许"洗脑真菌"也会被某种其他真菌侵袭，等到"洗脑真菌"的柄从蚂蚁脑袋里钻出来之后，别的真菌也许会直接把这些柄切断。那假如发生了什么意外，有某种大自然的不可抗力把整个蚁穴毁灭了呢？"洗脑真菌"能自行找到其他蚁穴吗？科学家还有很多问题需要解决，但我们可以负责任地说，"洗脑真菌"把蚂蚁变成僵尸这样的奇观已经在自然界上演数百万年了。经过一次又一次随机的基因突变，蛇形虫草属的真菌终于学会对其宿主实施病态的精神控制了。

倭犰狳

问题： 在沙漠中生存意味着你要忍受极端高温和极端低温的"冰火二重世界"。

对策： 这种穴居犰狳将自己背上保护性的骨板变成了"温度调节器"，其内部流通的血液不仅能够散去多余的热量，还能在需要时吸收周围的热量。

我以前犯过的最大的一个错误，就是说沙漠"毫无生机"——与事实截然相反——沙漠中充满各种各样的生物，数量十分庞大，昆虫、啮齿动物、蝙蝠……这些生物昼伏夜出，在气温相对舒适的晚上出来活动。不过，不论白天还是黑夜，在沙漠表面的平静之下，其实隐藏着一个热闹的世界——穴居动物的世界，而在所有的沙漠穴居动物中，最讨人喜欢、最引人注目的，就是生活在阿根廷的倭犰狳，它们还是地球上最稀有的哺乳动物之一。

倭犰狳的外貌特征非常奇特。这个小家伙的身体呈圆柱形，大小和你的手掌差不多，四只爪子非常巨大，是挖土打洞的利器。倭犰狳身上长有柔顺、漂亮的白色长毛，白毛上是一层粉红色的骨板，骨板从鼻尖一直延伸到臀部，覆盖它的整个后背，而且还非常平坦，能在它挖洞的时候帮忙将沙土压实。总之，跟其他犰狳相比，倭犰狳反而和鱼雷长得更像。

虽然长相奇特，倭犰狳却能对地下的生活完美适应，完美到完全可以不必再回到地面上了（人们总说"适者生存"，感觉只有身体强壮的动物才能生存下去似的。其实，能生存下去的是那些最适

消失的肢体

在距离倭犰狳的栖息地几千英里外，墨西哥下加利福尼亚半岛的沙漠中，生活着另一种穴居动物，名叫"墨西哥鼹鼠蜥蜴"。为了便于在洞穴中移动，它的身形也十分奇特。墨西哥鼹鼠蜥蜴其实并不是蜥蜴，它属于一类独特的动物——蚓蜥（amphisbaenia）。墨西哥鼹鼠蜥蜴有蛇一样细长的身体，却长着两只前肢用来挖土，然而它没有后肢，其后肢的位置只有一些隐藏起来的退化骨骼。于是这种动物就终日用前肢扒开沙土，在沙漠的地下蠕动。也许它的名字不如倭犰狳好听（倭犰狳的英文名字"pink fairy armadillo"直译叫作"粉红仙子犰狳"），不过那句话怎么说的，各有所长嘛。

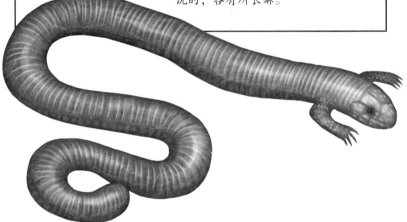

应环境的动物。犰狳并非字面意义上的"身强体壮"，却能与周围环境完美契合，这一点后面还会讲到）。正因如此，人们很少见到犰狳的身影，比如保育生物学家马里耶拉·苏佩里纳（Mariella Superina），她是研究犰狳的世界级专家，可竟然一次都没在野外见到过活的倭犰狳。由于缺乏数据，科学家甚至无法判定它是不是濒危。可你要是觉得，这种躲开沙漠的酷热白天和寒冷夜晚的低调生活十分舒适、悠闲，那可就大错特错了。

要知道，当倭犰狳挖洞时，其深度仅有半英尺（约 0.2 米），因此它们并不能像其他远离地面、住在更深洞穴中的动物一样，得到气候相对更加稳定的环境。白天地面温度升高时，倭犰狳的体温也随之升高；晚上地面温度骤降时，倭犰狳的体温也随之降低。生活在地面上的动物，一般会通过寻找阴影或聚集在一起来乘凉或保温，但这个办法在倭犰狳身上行不通。不过，倭犰狳却将自己的"盔甲"变成了一种精巧、简易的"温度调节器"，而不是用它来保护自己免受捕食者的猎捕。

每次我和别人说起这件事，总会招致反感，因为这好像会破坏倭犰狳的魅力。倭犰狳的骨板之所以呈现粉红色，是因为在其中有血液流通，而且血流量很大。骨板能显出血液的颜色，是因为犰狳体内没有多少黑色素，和多数生活在地下的动物一样，它们不需要黑色素来保护皮肤不被紫外线灼伤。在倭犰狳骨板里奔流的血液，帮助它们稳定体温。另外，倭犰狳属于哺乳动物，其身体能保持一定的温度，但由于它们整天生活在沙土里，没办法通过出汗来调节体温，因此只好另辟蹊径——如果需要降温，它们就将血液从体内输送到骨板内，血液就会冷却，就像汽车的冷却器降低冷却剂温度一样，只不过汽车冷却器用的是空气，而倭犰狳利用的是身体周围的沙土。如果需要升温，倭犰狳就将血液从骨板中抽回体内。

你可能觉得，沙漠的气温变化如此剧烈、如此快速，有点儿不可思议，你也许以为沙漠从早到晚都热得像个蒸笼。但其实温度是否变化的根本原因在于湿度。倭犰狳的家园，不论是在空气中还是沙土中，水分都很少。潮湿的空气保温效果极佳，这也正是热带地区昼夜温差小、气候稳定的原因。但沙漠干燥的空气会让热量迅速

朋友们，同胞们，扇起你们的耳朵来

通过血液来降温的智慧在各种沙漠动物的身上都独立进化了出来。比如大象，它们会呼扇耳朵来降温，因为大象的耳朵上布满血管。再比如袋鼠，它们会用舌头舔前肢，因为——你肯定猜到了——袋鼠的前肢上也布满血管。长着巨大耳朵的耳廓狐也是同理。说真的，耳廓狐长得太可笑了，这小家伙就仿佛先长出耳朵，后长出脑袋似的。

流失。这对昼伏夜出的动物来说是个好消息，这些动物夜晚出来寻找食物，白天则会躲回地下或灌木丛中。

虽然生物学家都认定倭犰狳基本属于夜行性动物，但这不代表它们会在晚间凉爽的空气中跑来跑去。这是因为它们在地面上可以说很不中用。当然，没有贬低它们的意思，终生在地下生活，与昆虫、树根什么的为伴也是需要勇气和决心的，不过，在地面这个险恶的世界里，浑身白毛并不是理想的装扮，短粗的小腿和巨大的爪子也帮不上什么忙。因此，据一些有幸见过这种小生命真容的当地

人所言，倭犰狳很可能只有下雨的时候才会钻出地面——因为那时候洞穴中可能灌满了水，也因为过大的湿度会妨碍它们控制自己的体温。除了通过粉红色的骨板调节体温外，倭犰狳也必须时刻让自己柔顺的皮毛保持干燥，不然就会有冻死的危险（前面提到的犰狳专家玛利亚拉·苏佩雷娜曾拍摄过一期节目，在节目中，她和她的团队向沙漠中倾倒了好几坛水，试图把倭犰狳逼出来，但最终还是失败了。不过至少沙漠植物会感谢她的）。

话题好像越来越沉重了，好吧，我道歉，我们不该这么对待这种地球上最可爱、最神奇的生物。我必须得说，不只粉红色的"盔甲"，倭犰狳的其余各项特征也都非常适合在干燥的地下世界生存。要是评选"地球上最可爱地下沙漠哺乳动物奖"（这个奖的名字还得再下点儿功夫），那它一定能摘得桂冠，然后我们再继续评出第二名、第三名……以及最后一名。

我们下一篇的这种穴居动物，一定是这个奖项的最后一名。

裸鼹形鼠

问题：掘穴动物的生活，充满了来自地道的挤压烦恼。

对策：裸鼹形鼠进化出了极有弹性的松弛皮肤来帮助自己在地道中顺畅地移动。噢，还有，这种动物体内含有的一种物质——透明质酸，让它对癌症有了免疫力。

借着这个时机，我得承认我胳膊肘上有多余的皮肤。提醒你，不是哪儿都有——只有肘部有。我承认，要是拉一拉那里的皮肤，还挺有弹性的。

如果我的胳膊肘是一种动物，那一定就是裸鼹形鼠了。倭狐猴还蛮可爱的，但裸鼹形鼠简直就是一根长满皱纹的香肠，还全身都是多余的皮肤。从嘴唇里伸出的几颗巨大门牙，让裸鼹形鼠在用牙刨土的同时不致被泥土呛死。严格来说，裸鼹形鼠并非全裸，在它们松弛的身体两侧，从头到尾长着很多长毛，在黑暗的地道中，这些长毛是对触觉极其敏感的触须。在这种情况下，裸鼹形鼠其实已经不再需要眼睛了，所以它们的眼睛退化了，萎缩成了两个黑色小圆点。综上，你也不难理解为什么裸鼹形鼠会在"地球上最可爱地下沙漠哺乳动物奖"的排名中垫底了吧！

前面讲倭狐猴的时候，我提到过穴居动物对付高温或低温的一些办法——挖更深的洞，或者聚在一起。裸鼹形鼠也会采取这两种办法。裸鼹形鼠的每个群居种群内都拥有高达 300 只个体，而且，和倭狐猴区区 6 英寸（约 0.2 米）深的地道相比，它们可以挖出 6 英尺（约 1.8 米）深的复杂地道网络。如果周围凉下来，它们就在

多余的眼睛

　　生活在洞穴或地道中的动物眼睛退化或根本不长眼睛，其实是很普遍的现象。看起来，眼睛这种器官也许应该留着备用，但你要想好，保持眼睛的功能也需要大量的能量和资源，而眼睛退化，就可以为其他特征的进化提供条件。况且，没有眼睛就少了一样容易受伤或被感染的器官，这在阴暗肮脏的地下也是必须考虑的。因此，盲鼹鼠（一种与裸鼹形鼠没有关系的穴居动物）干脆抛弃了自己的双眼，用皮毛盖住了眼窝。这就好像你时时刻刻都戴着墨镜，只不过这副墨镜是皮肤做的，摘不下来。好吧，这么说好像一点儿都不像墨镜。

巢穴中互相依偎，如果温度升高，它们就撤退到更深的地道中，寻求深处更加稳定的气候。

　　事实上，裸鼹形鼠的地道也是很繁忙的。裸鼹形鼠在其中穿行不息，就好像血管里流动的血细胞。同时地道也非常狭窄，这就进一步促使它们进化出了松松垮垮的皮肤。皮肤长成这样有助于裸鼹形鼠更轻松地穿过地道而不至于损伤体表，到了从潜入"地堡"的捕食者手中逃脱的紧要关头，这种适应性进化还是挺有用的。

　　裸鼹形鼠的皮肤能长得如此松垮，都要归功于一种名叫"透明质酸"（hyaluronan）的物质。在动物体内，透明质酸是细胞外基质（extracellular matrix）的组成成分，细胞外基质则是由多种物质共同构成的网架结构，能将全身细胞联结起来——这也正是我能拉动肘部皮肤的原因之一。然而，在裸鼹形鼠的皮肤中，透明质酸分子的长度是人类皮肤中透明质酸分子的 10 倍，因此裸鼹形鼠皮肤弹性极佳。这种独特的进化还带来了另一个有益的结果 —— 裸鼹形鼠得到了对癌症近乎绝对的免疫力。

一般的透明质酸（比如我们人体内的透明质酸），能够向细胞发送信号，促进细胞分裂。而裸鼹形鼠体内"加长"的透明质酸分子则能阻止细胞分裂，这正是癌症研究者的梦想。简单来讲，癌症就是细胞的异常分裂，这种情况在裸鼹形鼠体内不会发生。如果科学家能找到办法改变人体内透明质酸分子的结构，也许就能阻止肿瘤的疯长。不过，这项研究至今依然处于起步状态，也许有朝一日，裸鼹形鼠可以引领科学界在癌症的预防和治疗上取得突破。

一辈子不得癌症是很不错，然而你也许会觉得，一直这么裸着身体似乎也不太好 —— 你说得没错。这种时候最能体现互相依偎取暖的好处。在洞穴内，裸鼹形鼠种群的个体之间非常亲密，有时甚至可以互相抱在一起，摞起四层。此时处在最下层的裸鼹形鼠几乎呼吸不到空气，不过它们已经完全适应了低氧环境，而且，如果不这么聚在一起，独处的个体是无法在夜间气温骤降时存活的。

独处的个体在低温下无法存活，是因为裸鼹形鼠虽然属于哺乳动物，却无法保持自身的恒定体温。听起来，抛弃恒温能力有点儿浪费，但其实这种能力也没有你想象的那么好。爬行动物必须每天靠晒太阳才能让体温升高；哺乳动物呢，需要消耗大量的能量来维持体内"小火炉"的燃烧。"燃烧"就需要"燃料"，可这对每天只能在地道里踅摸植物块茎吃的裸鼹形鼠来说实在是太奢侈了。说实话，穴居动物在觅食时耗费的能量可以超过地面动物 4000 倍，所以为了降低能量消耗，裸鼹形鼠放弃了维持体温的能力，而选择投入同伴的怀抱。

要说种群中谁最热衷于拥抱，那一定是"女王"了。和鼓虾类似，裸鼹形鼠种群也有罕见（至少对非昆虫类的动物来说很罕见）

的社会性，其种群由一名"鼠后"统治，"鼠后"要比其"子民"的身体更长，因为在它"即位"之后，其脊椎骨之间的间隙进一步被拉长了。在种群中，只有"鼠后"一只雌性有生育能力，它每天在地道中来回踱步，通过抑制其他成员的生育能力和巡视整个种群来巩固统治。作为统治者和怀胎的繁忙母亲，"鼠后"必须时刻确保体温处于理想状态，因此会比种群其他成员花上更多的时间"抱团取暖"。

裸鼹形鼠失去了维持恒定体温的能力，基本上也把眼睛抛弃了，它们是生物进化无方向的一个例证［达尔文本人拒绝使用"进化"一词，因为"进化"（evolution）一词最初的拉丁语义是"展露"

一个很聪明，又有点儿死脑筋，也很喜欢别人帮忙挠痒痒的人

还有一种体形大得多的穴居哺乳动物，是生活在澳大利亚的袋熊。袋熊敦实、可爱的样子让人忍不住喜爱之情——至少这名生物爱好者没忍住。1963 年，彼得·尼克尔森（Peter J. Nicholson）描述了他钻进袋熊的洞穴，并与一只雄性小袋熊相遇的故事。"它有时候会走向我，闻闻我的胳膊，好奇地盯着我的脸和头发看，而那时我就会模仿它们友好的咕哝声。"他写道。在此后三个月的接触中，这一人一袋熊常常会跟着对方行动，有时甚至还会在白天一起坐在洞穴门口。"在我的印象里，它像是个很聪明，又有点儿死脑筋的人，"尼克尔森如是总结道，"也很喜欢别人帮它挠痒痒。"

或"出现"，容易暗示进化似乎具有某种趋向完美的方向性。他更喜欢"具有修饰的遗传"（descent with modification）的说法]。当然，在 38 亿年的生命历史中，地球生物从包含有机分子的原始汤进化而来，确实越来越复杂了，但较为高级的"进化产物"，比如眼睛，在不需要的时候也完全可以退化消失。达尔文的理论是，生物并不一定会朝着"完美"的方向进化，而是会朝着最适应环境的方向进化，实例就是看似在退化的裸鼹形鼠。他的这种观点，怎么说呢，并没有被普遍接受，因为这就意味着人类也只是凑巧进化出了高智商而已，并没有被某种更高级的力量所偏爱，不管我们的自我感觉多么良好，人类和其他动物也别无二致。虽然发明了衣服，但谁说我们不是和裸鼹形鼠一样"赤裸"呢。

第五章

被吃掉你可就完蛋了

在本章中，一种海洋生物甩出的黏液呛死了鲨鱼；一种壁虎完美地把自己扮成树叶。

统计数据不会说谎：在动物界，被吃掉是所有成员的首要死因，从地球有生命以来就是如此。在漫长的生命历史中，各种动物进化出了很多令人印象深刻的对策来应对捕食者。比如，有一种蝾螈，它们的肢体要是被捕食者（或者同类）吃掉，还能再长出新的。而且，如果你好奇的话——没错，有朝一日，我们人类也能利用同样的原理重生自己的肢体。

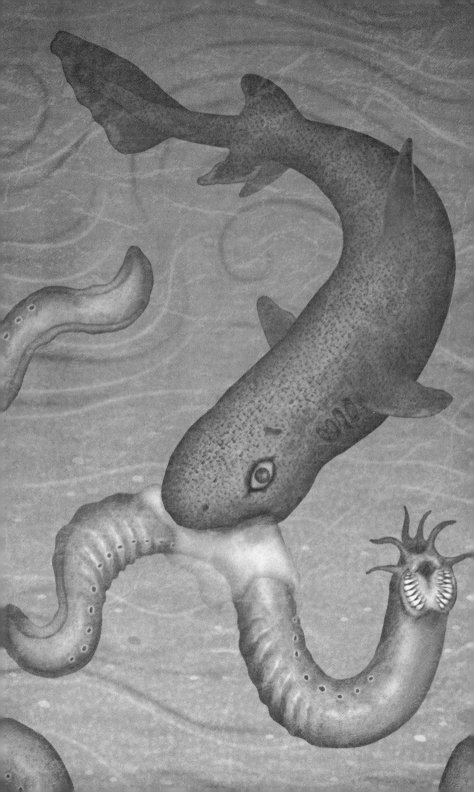

盲鳗

问题：鲨鱼长着巨大的牙齿，还一副凶神恶煞的样子。

对策：盲鳗形如鳝鱼，能在转瞬间从体内的腺体里分泌大量黏液，粘住捕食者的鳃，把捕食者活活呛死。

尽情吐槽你生存的环境吧，但至少环境是不会变的。你周围也许极端炎热、极端干燥，或者极端寒冷，没问题，至少生物是可以适应这些环境的，比如沙漠环境，是完全可预见的。然而，更加让人头疼的是和你一起进化的捕食者。它们适应着你的进化，你长出盔甲，它们就长出更大的牙齿；你加快速度，它们就学会更灵敏地感知。这种时候，动物想出的对策一般会非常有创意——多有创意呢，比如说，甩出黏液把鲨鱼给呛死。

光听"盲鳗"的名字可能还没什么气势，但这种动物其实值得更多关注。盲鳗长得很像鳝鱼，它们生活在海底，并在海底觅食蠕虫，偶尔也会寻找鱼类的尸体。当盲鳗找到一顿"死鱼盛宴"时，这种喜食腐肉的"清道夫"就会把遗体吃个干干净净。它们会在鱼身上钻个洞，从遗体内吞食鱼肉——还不仅仅用嘴吃肉，连盲鳗的皮肤都能吸收从腐肉上渗出的营养物质。

可这样就会有个问题。如果盲鳗整天把脸埋在死鱼身体里，眼睛就派不上用场了，其命运可能会任由鲨鱼、鳗鱼等捕食者摆布。而且说实话，盲鳗长得就像弯弯曲曲的肉肠，看起来很美味。不过幸运的是，盲鳗拥有动物界最新奇的防御手段之一——黏液武器。

如果盲鳗打个喷嚏，那是不容小觑的。其体内有一百多根特化的黏液腺，要是你不幸与这种动物起了冲突，这些腺体就会一齐工作，瞬间喷出一个黏液的旋涡。在你我这些透过水缸观察盲鳗黏液的人类（是的，真的有人出钱聘请科学家干这种事，我很羡慕）看来，这种武器可能不算什么，但对有鳃的动物，比如饥不择食的鲨鱼来说，这可意味着面临窒息的威胁。

盲鳗黏液本身的成分很特殊，这一点我们稍后再说。我要先讲讲鱼鳃的工作原理。你可以把鱼鳃想象成外置的肺。我们的肺中充满了毛细血管，这些毛细血管里的血液会从空气中吸收氧气。同理，鱼鳃中也有很多吸收水中溶解氧的毛细血管。人类必须时刻保证有空气流入肺脏，鱼也一样，氧气不会自动钻进它们的身体，所以你能看到它们总是在吞水，这其实是让水流经鳃的过程（鲨鱼必须一直游动才能保持呼吸，但也并不是说一旦停止不动所有鲨鱼都会死去。对部分种类的鲨鱼来说是这样的，但也有一些生活在深海海床上的鲨鱼，可以像硬骨鱼一样，通过口腔抽吸海水来呼吸）。

说回黏液的话题。盲鳗体内的上百根黏液腺里有两种不同的细

一个黏液睡袋

鹦嘴鱼住在天堂般的珊瑚礁群中，它们不会等到被袭击时再被动地释放自己的黏液。在珊瑚礁中入睡前，鹦嘴鱼就会分泌黏液，并把黏液做成一个围着自己的茧形睡袋。要是有捕食者游过来，这个黏液"睡袋"能有效遮蔽鹦嘴鱼的气味。另外，如果其他鱼类入侵了鹦嘴鱼的领地，这个"睡袋"也能成为极为高效的警报系统。综上，也许你讨厌黏液，但至少地球上有两种动物非常喜欢呢。

胞，一种分泌普通的黏液，但另一种，能够发射出强度极高的纤维丝，每根可达 6 英寸（约 15.2 厘米）长。换句话说，一个 0.004 英寸（约 0.01 厘米）长、0.002 英寸（约 0.005 厘米）宽的微小细胞就能够射出一条半英尺长的丝线。这……就非常不可思议了。

但事实就是这样的。其中的奥秘就在于这些丝线是如何缠绕的，它们通过一种水溶性黏胶缠绕成一个个椭圆形的小"线球"。当盲鳗有麻烦时，它就会收紧黏液腺周围发达的肌肉，发射出黏液和许多线球，一旦这些线球中的黏胶溶于水，丝线就会展开呈云状。丝线"炸开"释放的能量有助于云状黏液的扩散，当盲鳗在这团物质中四处游动试图逃跑时，只会让云状黏液扩散得更大。

盲鳗每次释放的黏液中大约共有 6000 根这样的纤维"丝线"，这些"丝线"可以很轻易地卷进捕食者的鳃。这种防御手段太有效了，甚至让科学家最初认为盲鳗是专门使用黏液攻击鱼鳃，而不是制造出一大团"黏液云"，然后自己躲进去避难，因为他们从没在捕食性鱼类的胃中发现过盲鳗，反而在没有鳃的动物，比如海豚和海狮的胃中发现过。另一个支持他们这样想的证据，是盲鳗只有在受到刺激时才会喷射黏液。揉捏盲鳗的身体，黏液就会从被你揉捏的部位分泌出来，其他部位则没有。假如刺激盲鳗的不是你的手，而是鲨鱼的嘴，黏液就成了对付刺激源的有力手段。

看了不幸的鲨鱼等捕食者与盲鳗纠缠的录像，我简直要同情它们了。你几乎可以在它们咬住猎物身体的同一时刻看到它们痛苦的反应。黏液的旋涡喷了出来，然后捕食者会猛烈摇头、张嘴、全身抽搐、迅速撤退，拼命想把黏液从脸上弄掉。要是所做的努力失败，它们最终就会窒息而死、沉入海底，并成为海底生物的一顿盛宴。虾、蟹、细菌都会远道而来。当然，做好事不留名的盲鳗也会加入，共享美餐。

一张牙医用"橡皮障"，引领一个科学发现

　　确认盲鳗的黏液是一种防御性武器的实验可以说是我见过的最有趣的实验了，至少用的器材是最有趣的。这个实验用到了一条盲鳗、一个石斑鱼的鱼头、一根PVC（聚氯乙烯）塑料管、一根虹吸管，还有一张加厚的牙医用"橡皮障"。研究人员想知道盲鳗的黏液是否真的会影响流经鱼鳃的水流，所以他们先用"橡皮障"盖住了塑料管的一端，把鱼头塞进"橡皮障"，让鱼嘴张开，再把虹吸管安置在塑料管的另一端。把整个装置和一条盲鳗放进水槽后，研究人员打开了虹吸管，然后"用镊子刺了一下盲鳗的尾巴，刺激它分泌黏液"。虹吸管把黏液全部吸进了鱼嘴，继而进入了鱼鳃。整个实验里，石斑鱼放弃了尊严，盲鳗则放弃了黏液，不过也因此得出了至关重要的结论——盲鳗确实进化出了一种武器化的黏液。

美西钝口螈

问题： 腿要是没了就太惨了。

对策： 美西钝口螈的腿如果者咬掉，还可以再长出新的来。

    算我走运，手里的这只蝾螈已经死了，不过应该说是这只蝾螈幸运，因为我绝对算不上优秀的两栖动物医生。我像狙击手一样深吸了一口气，轻轻拉紧蝾螈的肢体，然后拿起剪刀剪了下去……但没有完全剪断。我是透过显微镜进行观察的，所以视野是上下左右颠倒的。剪刀顺利通过了肱骨，但这块骨头并未像我想象的那样会一下子折断，或者裂开，而是轻微地嘎吱作响。剪子尖总是在完全穿透肢体之前就相交了。慌乱中，我再次拉紧这条上肢，再次剪下一刀，但还是得不到放大的清晰影像，我又失败了。我再剪，再调焦，再失败，最后一剪，才终于分离了这条上肢。

    我把视线从显微镜上移开，看着这只 4 英寸（约 10.2 厘米）长的蝾螈。它全身都包裹在白色的纸巾里，深红的外鳃从脑袋后面伸出来，残肢的伤口处血淋淋的。这是一只生活在墨西哥的美西钝口螈。平时，若你切下它的一条肢体，只需一个月的时间它就能再长回来，每一部分都功能完好。哪怕除去一部分大脑、下巴或者脊柱，这些组织也照样能再生。身体上的伤残并不会给美西钝口螈的生活带来任何烦恼。

    我要说明，我可不是在什么黑心宠物诊所里虐待动物，我是在加州大学欧文分校的肢体再生实验室里做实验。这个实验室由美国国防部出资建设，他们希望能在此替受伤的士兵找到治愈的力量。

> **那次把蝾螈投进火中的实验······必须是白做了**
>
> 在欧洲民间传说中，蝾螈一直备受崇拜——不是因为其再生能力，而是因为在传说中，它们对火焰有免疫力，比如，它们不会被火烧死。据说，它们是在烈焰中诞生的。这个说法挺拉风的，不过八成不是真的，因为两栖动物的皮肤潮湿又光滑，它们应该是所有动物里最怕火的。还真有个博物学家曾经做了实验，他就是著名的古罗马作家老普林尼（Pliny the Elder）。说是"实验"，其实就是把一条蝾螈扔进火焰中。结果是可以预料的。很遗憾，人类在通往知识的道路上并不是一帆风顺的，路上总有······烧焦的蝾螈之类的。

在这里工作的杰出科学家给了我一只死亡的蝾螈标本，因为我明显不具备为活蝾螈动手术的资格。这些科学家认为，由于控制美西钝口螈再生能力的基因人类也拥有，所以问题不在于我们究竟能否再生肢体，而在于我们何时才能找到实际操作的方法。而且他们还相信，在这间实验室中对蝾螈（那些活体标本，不是我解剖的那条死的）进行的实验，将带领他们实现这个目标。

生物的进化总是让我无比惊叹。从某种程度上说，不管是动物、植物还是细菌，地球上所有的生物都是近亲，因为生命之树起源于同一个祖先，经历了数十亿年的时间，生出无数分枝，发展出我们如今看到的种类繁多的生物。在漫漫时间长河里，生物不断进化着，同时，新物种也不断从已有的物种中独立出来，并延续新的血脉，但新物种和已有物种依然享有一个"共同祖先"（common ancestor）。因此，我们的 DNA 和大猩猩的几乎完全相同，因为人类和大猩猩拥有相对较近的共同祖先，但我们和美西钝口螈的基因差异就比较大，因为人类和蝾螈的共同祖先相对较远。然而，我们还是拥有那些用于肢体再生的基因，从这个层面上讲，人类也有一部分基因和美西钝口螈一样——我们只是不像美西钝口螈那样利用这些基因罢了。

肢体再生基因给美西钝口螈带来的好处显而易见。蝾螈是水生物种，有种类繁多的水下捕食者觊觎它们（至少，曾经有许多捕食者。如今，美西钝口螈可能只存在于实验室中了，墨西哥城的扩建把它们赶出了湖泊栖息地）。要是捕食性鱼类咬掉了它的胳膊，肢体再生的能力能让美西钝口螈继续在湖底爬行生活。而且仅仅是捕食者也就算了，它们还会咬下同类的肢体，这种案例还真不少。所以肢体再生保证了美西钝口螈能持续捕猎维生，更不必说举行它们那套复杂的交配仪式了。

听起来还不错吧？那咱们也学学肢体再生吧，反正也有相同的基因。告诉你，没那么容易。

相比肢体再生，我们人类受伤后会长出瘢痕组织，这非常适应人类的进化。然而美西钝口螈从不长疤——我要说明白，肢体再生分好几个步骤，起初它们也会长出一些瘢痕组织，但会随着生长进行而消失。为什么呢？为什么我们的身体那么喜欢长疤，而美西钝口螈却告诉我们伤处是可以再生的？这其中详细的科学原理尚不清楚，但一些线索显示，在美西钝口螈进行再生时，其免疫系统承受着极大的考验。蝾螈体表覆盖着一层免疫性极强的黏液，可以为其体内免疫系统分担工作，但我们人类却没有这种条件。要是直接细菌感染死亡了，胳膊长出来了又有什么用呢？

在美西钝口螈肢体再生的过程中，我们已经确认，有一种生长因子起到了重要作用。这是一种促进组织生长的蛋白质。你拿起镊

当894A遇上664A：一段两栖动物的爱情故事

我很荣幸，在实验室中见识了美西钝口螈的交配仪式，我把这个故事起名为"当894A遇上664A：一段两栖动物的爱情故事"。一名研究人员把标本894A（下文称为"雄性"）和标本664A（下文称为"雌性"）共同放在一个水槽中，水槽里还装饰着几块漂亮的石头和几根塑料植物。

一开始，求爱进展缓慢。双方都没怎么动弹，只是默不作声地盯着对方，毛茸茸的鳃前后呼扇着。接下来，第一次接触出现了——雄性慢慢地伸头接近雌性，轻轻顶了顶它，然后向对方的泄殖腔进发，把吻部伸向了对方的身下，爱抚起它的"私密部位"来，看样子像是要把它掀翻。然而，雌性一动也没动。雄性似乎有些泄气，它停下了动作，用力甩甩尾巴，转身离开了。雄性在水槽那头独自待了会儿，其间，两方继续对视。最后，雄性再次接近雌性。它抬头看看我，像是在寻求帮助——至少是询问建议似的，突然——它吐了。爱情故事结束了，894A和664A，命里没有缘分。

子和剪刀给美西钝口螈做个截肢手术，这些生长因子就会调动伤口周围的细胞，开始重建失去的结构。你要知道，肢体再生需要重建多种组织——骨骼、肌肉、皮肤……机体需要非常详尽的指令才能把细胞置于正确的位置。美西钝口螈并不是在单纯地复制组织，它还要知道何时开始打造关节什么的结构。

综上，让人类学会肢体再生也不是激发我们和美西钝口螈的共有基因那么简单。这是很复杂的过程，更像是一个调控那些基因制造的生长因子的过程，所以这些实验室的目标就是解密美西钝口螈肢体再生的详细步骤，未来，使用正确的方法将生长因子应用到伤口处。

听起来有点儿像天方夜谭吧，我知道。但我还要强调，那些研究人员公认，通过美西钝口螈的帮助，我们解锁人类肢体再生的奥秘就只是个时间问题。等到实现的那一天，我们可以再回头看看我浪费科学家时间的这一天，我把科学的进步拖慢了一些。

我向全人类道歉。

乌贼

问题： 对海洋动物来说，有时候硬壳也保护不了你。

对策： 乌贼进化出了动物界最令人惊叹的易容术，它们能在片刻间融入任何背景。

在避免被吃掉这个问题上，动物们奇招辈出：盲鳗用的是主动防御的方法，全身都能发射"鼻涕"；美西钝口螈则"消极"得多，经常给自己截肢；但乌贼逃避捕猎的方法就神奇多了——它们会使用地球上最令人惊叹的易容术来躲避追踪。

咱们先暂停一下，回到 5 亿年前，去见见乌贼以及其他头足纲动物（如章鱼、鱿鱼）共同的祖先。与我们今天看到的这些拥有柔软身躯的动物不同，头足纲动物的祖先身上还有坚硬的外壳保护自己。不过这种自卫方式有一个很大的缺陷——会让动物变得动作迟缓、举止笨拙，看看目前仅剩的一种带壳头足纲动物——鹦鹉螺吧，它们整天尴尬地游来游去，偶尔撞上个珊瑚什么的，活像打了动物镇静剂似的。

所以，也许是因为海洋里出现了某种强势的捕食者，某种能够咬碎硬壳的巨兽，导致悠闲的头足纲动物失去了优势。但这些动物可不会就此被打败，反而找到了其他的生存办法。它们纷纷抛弃了外壳，进化成各种不同的新物种，使用各自不同的对策存活（辨认乌贼的祖先可以通过其体内冲浪板形的内骨骼，这块骨骼帮助它们控制自身浮力）。鱿鱼的游泳速度快，章鱼能把自己的身体塞进任意的狭小缝隙里……但在所有头足纲动物中，乌贼的自卫方法才是最大胆、最新奇的。

还没有哪种背景是乌贼无法融入的，海藻、珊瑚、沙地，甚至连国际象棋棋盘这样的人造图形也不在话下。乌贼几乎可以在一瞬间改变外表，简直令人叹为观止。追捕一只乌贼到一片水草地里，它就会藏起来，转变自己的体色、花纹甚至皮肤的质地，然后低调地等待着，和植物一起随着水流微微摇摆。它们会等你主动离开，可要是你继续接近，乌贼就会放弃伪装，转身逃走，还要朝身后喷上一股墨汁。

乌贼神奇的变色能力来源于其皮下的三层特殊结构。最底层赋予皮肤白色的底色，中间层是一层具有光泽的平面，通过反射光线，成为绿色或蓝色，不过最有趣的还要数最上面一层。最上层里面有许多色素细胞（chromatophore），每一个囊状的细胞内都含有特定颜色的色素，橙色、红色、黄色、棕色、黑色等，其周围与细

穿上梦的颜色，爱情不再遥远

乌贼有时会被称作"海中变色龙"，但这其实不太恰当。倒不是因为变色龙不会游泳，而是因为这两种动物的伪装用途其实不太一样：变色龙改变颜色并不单纯是为了融入环境。一个证据就是变色龙的身上有时会同时出现鲜艳的红色、蓝色和绿色，除非是想融入一盒蜡笔，不然这算什么伪装呢？事实是，变色龙也会把体色当作潜在的求偶信号，而且也会用体色来帮助调节体温。如果它们觉得冷，就会把体色变深来吸收更多的阳光，要是太热了，就再把体色变浅。你就当它们穿了一件一年四季永不过时的完美外套吧。

小的肌肉相连。当乌贼想要呈现某种特定的颜色时，它就会收缩与特定色素细胞相连的肌肉，把色素细胞拉大至 5 倍，扩展其面积进而更多地展示这种颜色。

由于乌贼的色素细胞与肌肉和神经相连，这些神经直接受大脑控制，所以它们能以难以想象的速度改变体色。乌贼的"灯光秀"可达到十分复杂和精巧的程度，有些种类甚至能在全身完成"脉冲波"一样起伏的变色，它们也许把这种方式当成一种警告——"我是认真的，你别过来"，或者一种催眠猎物的方式。潜水员曾见过这样的场面：乌贼在接近猎物时，突然点亮了它们的触手，并开始高频、无规律地闪起光来。与此同时，它们一下子伸出了触手，抓住并绑紧了猎物。

协调以上这种易容术的是一颗强劲的大脑。一般来说，无脊椎动物和脊椎动物（比如人类）相比智力较低，这没什么大不了的，因为无脊椎动物大部分都有其他长处，比如坚硬的外骨骼、像水熊虫那样脱水后复生的能力，但头足纲动物绝对是个例外——它们聪明得可怕。在实验室中，乌贼能学会走迷宫，章鱼学会逃出水槽，在房间里大摇大摆地走过也不是什么新闻（好吧，也许和高等动物比也不算什么，但已经很厉害了）。这种智力在捕猎时是不可或缺的，但同时乌贼也要靠脑力来调整防御，它们得分析周围的环境，并将环境信息"翻译"成身体表面的伪装。

有时乌贼甚至会将高超的易容术用在同类身上。以生活在澳大利亚的雄性澳大利亚巨乌贼为例，它们会利用易容术"反串出场"，借此与雌性发生关系。巨人的雄性澳大利亚巨乌贼完全支配着雌性，为伴侣站岗，攻击一切试图接近的入侵者，而体形小一些的雄性则会改变体色，模仿雌性，还会把腕足变成怀抱卵囊的样子，一般雌性抱着卵囊时就不再进行交配了。于是，狡猾的雄性乌贼就有了趁机"偷腥"的机会——处于支配地位的雄性不会攻击它，因为它是

名字里带"巨"或者"大"的动物，大概都不好惹吧

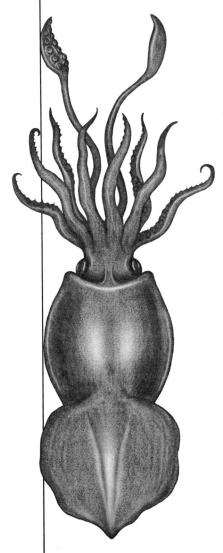

　　我不是危言耸听，但我劝你以后还是别再下海了，乌贼有几个体形巨大的近亲——大王乌贼和巨枪乌贼，它们会把你吃掉的。好吧，确实没有这些动物攻击人类的记录，不过它们的身体巨大得简直让人不敢相信。大王乌贼身长可达 40 英尺（约 12.2 米，不过公平地说，大王乌贼两条超长的触手占了这个数据的绝大部分），然而，虽然巨枪乌贼身长仅 14 英尺（约 4.3 米），但它们比大王乌贼更凶残，体重可超过 1000 磅（约 453.6 千克），是地球上最重的无脊椎动物。大王乌贼的触手上有吸盘，边缘呈锯齿状（它们的天敌抹香鲸，嘴边经常有圆形的伤痕），但巨枪乌贼的触手则更为恐怖——上面长有可旋转的倒钩。现在你不会觉得我是危言耸听了吧？

"雌性"，它也不用担心支配者会向自己求欢，因为在别人眼里它已经不接受求爱了。如此这般"反串出场"，就可以在支配者眼皮底下和雌性暗通款曲，将头脑灵活而非肌肉发达的基因传递下去。

噢，还有一点差点儿忘说了：乌贼都是色盲。我先给你点儿时间接受，然后再遗憾地告诉你，没人知道这种动物到底是怎么完美匹配周围颜色的。不过，2015 年的一项关于加州双斑蛸的发现也许能提供线索。研究人员采集了加州双斑蛸的一小块皮肤，皮肤上附着色素细胞，并在实验室中将这块皮肤暴露在光线之下。结果色素细胞自己拉伸了，明显没有受到其大脑或眼睛的支配。另外，科学家还在加州双斑蛸的皮肤上发现了一种光敏蛋白，这种光敏蛋白在人类眼球中也存在，因此，似乎可以说它的皮肤是通过某种方法在自行感知颜色。这种蛋白在其体内的功能与在人类身上的是否一致还有待研究，但我猜是一致的。

也许乌贼无法靠眼睛来辨识颜色，但它们对不同环境的差异异常敏感。厉害的是，乌贼只需将皮肤调整成三种模式，就能应对各种不同的环境。首先是"单色"模式，基本上就是某种纯色调；以及"斑驳"模式，看起来有点儿像电视屏幕的静电干扰（还记得电视有静电干扰的那个时代吗？）；最后是"迷彩"模式，皮肤上的颜色会分成一块一块的，像是国际象棋的棋盘。这三种模式，再加上色素调成的不同颜色，乌贼就能隐身于任何背景之中。"单色"模式适合颜色均一的沙地，"斑驳"模式适合颜色更加复杂的沙地，而"迷彩"模式则能适应颜色更为丰富的环境，比如珊瑚礁。

综上所述，乌贼虽然失去了保护性的外壳，但是依然成功地从捕食者嘴下幸存了。还有一些"伪装大师"，它们不想搞什么麻烦的灯光秀，而是会选择一套装束，坚持到底。这类"伪装大师"中，我要首推马加平尾虎。是的，这是它们的学名。而且，没错，它们对得起这个名字。

马加平尾虎

问题： 和低地纹狷一样，壁虎在马达加斯加岛也是不少捕食动物的盘中美餐。

对策： 马加平尾虎模仿树叶的功力出神入化，连叶脉等结构都能模拟得惟妙惟肖。

网络上曾经流行过一张照片，照片里，一条小龙站在一根树枝上，背上长着翅膀，皮肤是红黑相间的。小龙的眼睛也是红色的，看起来就像魔鬼，尾巴上有几个缺口，像被火焰烧过似的。这张照片当然是伪造的，不过也没你想象的那么假。制作这张照片的人只是给这条"小龙"加上一对翅膀，也许还调了调颜色，但这个生物剩余的部分都绝对真实。

那其实是一张马加平尾虎（satanic leaf-tailed gecko，直译为"撒旦平尾虎"）的照片。马加平尾虎是平尾虎属的 14 个已知种之一，生活在马达加斯加岛。我个人认为，这类生物是进化史上最大的赢家，其伪装的能力强到可怕。不是因为它们长得像恶魔一样，而是因为，你可以在它们身上看到自然选择的力量有多么强大。

如果不是刻意寻找，我相信你根本挑不出树叶堆里的马加平尾虎。它们的脊背是白色的，尾端有放射状的白线，模仿了树叶的叶脉。它们的尾巴看起来就像是屁股上长出来的一片叶子，边缘处还有破损的缺口，像是即将枯萎一般。马加平尾虎还会卷起自己的整个身体，把伪装进行到底——要是没有肉体、血液、器官什么的，它们看起来真的和一片死透了、卷起来的枯叶没两样。那么，这种神奇的伪装是怎么进化出来的呢？它们真的需要，比如说，在主观上努力想要得到这种技能吗？不是的，而且这也不是地球跟我们开的玩笑。马加平尾虎是生物进化的一个奇迹，而这一切还要归功于有性生殖。

在前文讲到动物繁殖的时候，我忘记说了，其实有很多动物是一辈子无须交配的。这些动物进行的是无性生殖，它们会直接克隆自己，而不会去寻找伴侣。举例来说，有一类名叫"水螅"的水生动物，体形微小，全身透明，长得跟一棵小小的棕榈树似的，只不过"树叶"变成了几条布满刺细胞的触手，这些触手和水母的触手类似。水螅会在身上生出芽体（bud），芽体就像缩小版的它们自

来聊聊物种起源

说起来，我们讨论了这么多物种，但还是没能总结出"物种"的定义到底是什么（这可不是我的错）。不过，究其根本，一个物种到底是怎么形成的呢？通常，新物种的形成都与隔离（isolation）有关。以马加平尾虎和马达加斯加地区其他奇特的生物为例，在马达加斯加岛脱离大陆之后，岛上的生物就被隔离起来了，在隔离的过程中，它们逐渐与之前种群中的同伴产生了差异。随着时间流逝，当岛上的物种与原来同伴的基因差异已经大到无法交配并繁殖的程度时，它们就特化成为新物种了。这个过程也可以发生在一块完整的大陆上，比如说，一条河把生物栖息地分成了两半，或者一座山脉的形成把一个生物种群一分为二……瞧，新物种出现了。

己，会逐渐脱离母体，然后开始独立生活。如果你无法找到伴侣进行受精，无性生殖是一种非常有效的繁殖方式，但无性生殖也存在非常严重的缺点。

除了体感上的愉悦，交配其实意义重大，因为交配能大力推动生物的进化。一般来说，水螅的后代都是克隆的产物，也就是说，它们和母亲在基因上是完全一致的。但有性生殖产生的后代，它们的基因就是父母双方基因的随机混合，这个过程就有可能会引入一些有益的变化。你长得漂亮，而你的兄弟姐妹长得丑（或者反过来，原谅我这么说），部分原因在于，在受精过程中，父母双方基因的组合是完全随机的。子代之间的差异可以确保在某种特定的环境下，至少有一部分子代能够遗传生存必需的性状（我不是说长得好看就能促进人类生存，但至少，能帮助你更容易地传递基因吧）。

因此，对生活在复杂、混乱的马达加斯加岛丛林环境的马加平尾虎来说，和兄弟姐妹长相不完全一样是能决定命运的。这个物种已经决定要靠模仿树叶来走进化之路了（当然，不是壁虎主观决定的），因此即便是最微小的变异也要重视起来。在背上长一条"叶脉"，在尾巴尖儿上长一个缺口，或者让身体的颜色更接近枯叶一些……在马加平尾虎被一双双饥渴的眼睛锁定之时，任何细节都不容小觑。这些性状能帮助它们存活，因此在一代又一代的繁殖过程中，伪装能力不过关的个体被淘汰，而具备有利变异的个体得以延续基因。

综上，像马加平尾虎这样拥有完美伪装的生物似乎是能够被"设计"出来的，但这种"设计"的原动力是被捕食的压力。平尾虎是夜行性动物，它们睁着大大的眼睛，依靠雨林夜间的微光活动，可它们还是得想办法撑过白天。因此，日上三竿之后，不同种类的平尾虎就会凭借进化赋予它们的伪装术来"玩消失"，最理想的状态是不受打扰地睡上一段时间。长得更像树叶的平尾虎蜷曲身体，尽

桦尺蛾中士的寂寞白蛾俱乐部乐队

你也许会认为，创造出马加平尾虎这样复杂的生物是一种极为繁复的过程，需要成千上万，甚至超过百万年的时间——也许吧，进化的过程有可能极为费时。但话说回来，这个过程也有可能加速进行。

看看生活在英国的桦尺蛾［英文名为"peppered moth"，直译为"椒花蛾"，此处联想的是披头士乐队的经典专辑《佩珀中士的寂寞之心俱乐部乐队》中的"佩珀中士"（Sgt. Pepper）］，这是一种浅色、长有斑点的飞蛾，它具有这样的体色是为了适应当地长满地衣的树皮，以避免被捕食性鸟类吃掉。但桦尺蛾并没有料到工业革命以及随之而来的空气污染。煤灰都把树木染黑了。然而，桦尺蛾却不肯就此悄然灭绝，它们适应了新的环境。1848 年，人们首次发现进化出深色体色的桦尺蛾。仅仅 50 年后，98% 的桦尺蛾就都是深色的了。而在 20 世纪，清洁空气的法令颁布之后，桦尺蛾种群又恢复了浅色、带斑的性状。

这一系列变化都是由进化所推动的。在环境被煤灰污染后，捕食者更容易捕捉显眼的浅色蛾，因此深色的桦尺蛾个体就有了生存优势，有更多的机会产下后代。在栖息地环境被治理后，深色的个体难以生存，浅色个体又有了优势。朋友们，这就是一个污染推动生物进化的稀罕故事。

力模仿枯叶；还有的平尾虎会在树干上躺平，试图和树皮融为一体；还有一种皮肤上长斑、身体边缘有褶皱的平尾虎，长得像苔藓一样，它们会寻找覆盖有苔藓的树皮。所有的平尾虎都不会像乌贼那样尽情变换自己的伪装，但这也没关系，因为它们的伪装已经足够精彩了。

在澳大利亚，也有几种长相差不多的平尾虎存在，但纵观全世界，绝大多数的壁虎都相貌平平，长着绿色、棕色或者黄色的皮肤，有的身上长有条纹，有的长着波点。然而，绝对没有其他任何一种壁虎，就连澳大利亚的壁虎都无法与马加平尾虎同日而语。不过你也许会想，既然进化出这种伪装术是有可能的，那全世界的壁虎就都有可能，为什么偏偏只有马加平尾虎这么特殊呢？

这个问题没人知道答案。不过，你要记住马达加斯加岛是一片神奇的土地，这里有许多在地球上其他地方找不到的生物（因此，这也不是你在本书中最后一次看到这个地名）。这个岛屿就是这么神奇的存在。9亿年前，当马达加斯加岛漂离大陆之时，岛上的生态系统"重置"了。随着小岛一起漂走的生物适应了离群索居的隔离生活，并独立进化成了新物种。还有一些物种，比如一些能跨越地理隔离的鸟类，偶尔也会加入这个生态系统。新物种不断形成，旧物种不断消失。在这个与世隔绝的小岛上，生物以独一无二的方式进化着。也许这与岛上的捕食动物有关，也许这里的捕食动物比其他地方的更加凶猛，让马加平尾虎只能采用上述这么极端的伪装。或者，也可能是某种更高级的力量，某一天喝醉了酒，决定让森林里藏几条壁虎吧。

但好像不太可能。

穿山甲

问题： 你听说过鼎鼎大名的狮子吧？

对策： 一种名为穿山甲的哺乳动物全身都进化出了漂亮的角质鳞甲，狮子也拿它没辙，更别说它的猎物小蚂蚁了。

离开马达加斯加岛，走上几百英里，穿过莫桑比克海峡，如果幸运，你就能见到一种非洲动物，它们应对捕食者时使用的是完全不同的策略。穿山甲属于哺乳动物，不过你要是把它们当成蜥蜴倒也可以原谅。穿山甲全身呈流线型，从头到尾都覆盖着一层鳞片，看起来就像一座会走路的碉堡，或者一棵会走路的洋蓟。在这家伙身上的是货真价实的鳞甲，可不是什么花色纹样。

穿山甲就像活体坦克。受到威胁时，它们会紧紧蜷起身子，几乎把身体蜷成一个球，再把长长的、覆有鳞片的尾巴卷在身侧，静静等待入侵者离去。这种防御手段非常有效，就算是狮子——地球上最强大的捕食者之一——也拿它没办法。它们也只能拍拍穿山甲，这儿咬咬，那儿咬咬，不过如此。穿山甲身上的鳞片异常锋利，一不小心就会划破捕食者的嘴。有时候，由于万兽之王那点儿残存的自尊心作祟，狮子会与之鏖战数个回合，并试图撬开穿山甲的防御，但一切都是徒劳。最终，它们还是无法避免悻悻而归的结局，然后穿山甲就会自行伸展身体，继续安然度日。

就连人类和人类的工具，也很难打破穿山甲的防御。美国博物学家威廉·比贝（就是之前吐槽鲅鳜的那位）曾经在印度尼西亚的婆罗洲遇上过一只穿山甲，并发现蜷起来的穿山甲"尾巴的肌肉和钢

达尔文发现了一辆甲壳虫小汽车

大多数人可能都不知道，达尔文并不是"小猎犬号"上的官方博物学家，这个头衔属于随船医生。相比于生物学，当时的他似乎更醉心于地质学，将观察日记《"小猎犬号"航海记》（The Voyage of the Beagle）的大部分篇幅都献给了石头。不过，当他发现雕齿兽的化石遗存时，他对地质学的兴趣和对生物学的兴趣发生了完美碰撞。雕齿兽是一种巨大的哺乳动物，全身覆盖有甲壳，体形和体重都堪比一辆甲壳虫轿车（当然，这不是达尔文本人的比喻）。这种动物"拥有骨质外壳，形如犰狳"。雕齿兽的盔甲非常坚硬，看起来就像龟壳，实际上，它们是现代犰狳的近亲，并为达尔文提出"以自然选择为基础的进化论"这一学说提供了重要参考。发现雕齿兽化石后，达尔文意识到，各种生物之间都是有联系的，并没有某种更高级的力量把生物安排在地球上，或者将某种生物抹除掉。

铁一样硬"。他的向导试图用一把铁锹"打开"穿山甲，但"就算手里有铁锹也很难撬动它一丝一毫"。他们静静地与这个可怜虫对峙了5分钟，它突然立起了鳞片。任何一位上进的博物学家看到这种画面都会忍不住上手去摸，结果没想到"这些鳞片像捕兽夹一般突然关闭，力量之大足以挫伤手指，甚至可以夹掉一小块肉"——可怜的威廉。向导似乎觉得这个场面很有趣，"一个人对科学研究的热情得到了一定的满足，同时还证明了我的泰米尔同伴同情心不足，幽默感有余"。

穿山甲的鳞片由角蛋白（keratin）构成，这是一种在动物界十分常见的蛋白质，各种动物都会用角蛋白构成不同的东西，从人类的头发、指甲，到鹿和犀牛的角，不一而足。同样它也是鸟喙和某些鲸鱼用来过滤海水的鲸须的原料。角蛋白真是无处不在，它具有既坚固又柔韧的性质，你可以通过自己的指甲观察到这一点。因此，穿山甲的鳞片才不会在狮子的利爪下断成两半（狮子的爪子也由角蛋白构成），相反，它们会应力弯曲，吸收能量。穿山甲鳞片的这种特性也被人类利用——在穿山甲的另一个栖息地印度，过去的战士们曾穿过用它们的鳞片缝制而成的战袍。

穿山甲的鳞甲还有另一个相对不为人知的作用。穿山甲是食虫动物，尤其喜欢以社会性极强的蚂蚁和白蚁为食。它们会利用自己巨大的爪子刨开蚁穴，再用修长的管状舌头把爬得到处都是的蚂蚁吃进嘴里。穿山甲的舌头能长到和身体一样长，但你别信网上的说法，它们的舌头并不和盆骨相连（当然，要真是的话还挺酷的），真相是，它们的舌头连接在最后一对胸骨的附近，上面带有从两根主唾液腺中分泌的黏液。把舌头伸到蚁穴中，穿山甲就能深入一条又一条狭窄的隧道，扫荡里面惊慌、发怒的猎物，把它们一口口卷进嘴里。蚂蚁和白蚁急忙爬出来，想要叮咬捕食者，却发现穿山甲被鳞片保护着，就连眼睑的皮肤都很厚实，让眼球免受攻击。穿山甲的耳朵里面也有特殊的膜能将耳道密封起来，把入侵者阻挡在外。

　　然而，讽刺的是，也正是这层鳞甲将穿山甲一步步推向了灭绝的边缘，一切自然还要归咎于——人类。在传统中医中，穿山甲的鳞片被认为是可以治疗多种疾患的"灵丹妙药"。孩子弱智吗？来点儿穿山甲鳞片吧。耳朵不好使？来点儿穿山甲鳞片。恶魔附体？来点儿穿山甲鳞片。得了疟疾？没错，再来点儿穿山甲鳞片。只要把鳞片烤干，磨成粉，再把这些灰配上油、黄油或是童子尿，药就做成了（我估计不能用你想治的那孩子的尿吧，那就太奇怪了）。

　　对鳞片的需求使得穿山甲成了全球最抢手的"货物"，全世界的8种穿山甲已经全部被列为极危（critically endangered，CR）物种或濒危（endangered，EN）物种。而且，除了鳞片市场火爆，在亚洲，穿山甲的肉也非常走俏。中国经济的崛起，更是将这种需求推向了高峰，像穿山甲肉这种"野味"，是一种常被用来庆祝

你见到我妻子了吗？她长着鳞甲，还爱吃蚂蚁

　　在津巴布韦的修纳族眼里，穿山甲具有特殊的意义。很久以前，有这样一个传说：修纳族的酋长让一位灵媒的妻子走进森林，后来，她在森林里变成了一只穿山甲。所以，每次族人遇到穿山甲，就得把它带到灵媒面前，因为它很可能就是灵媒的妻子。如果你不带过来，坏事就会降临在你身上。这就是穿山甲会在人类接近时团成一团的原因——它们不是想逃跑，而是想让你把它带到丈夫的身边。当你把穿山甲带给灵媒之后，灵媒就会把它煮熟吃掉。我也觉得这不太合理，不过我又凭什么批评人家呢？

商场成功的珍贵佳肴。

　　如果再不尽快采取措施，这种全世界防御最完美、鳞甲最坚硬的哺乳动物就要消失在人们的视线当中了。威廉·比贝似乎早已看穿一切，他诙谐地写道："穿山甲的肉太难吃了，里面含有大量甲酸。"也许是他的口味太奇怪了吧，他继续写道，"穿山甲会在地球上永远繁衍下去，除非人类持续主宰地球，把所有蚁穴都消灭干净。"蚁穴当然是消灭不干净的，这一点我们可以肯定，但人类会怎么做，我就说不准了。

冠鼠

问题：不是非洲所有的哺乳动物都能长出盔甲的。

对策：冠鼠会从嚼碎的毒树树皮中提取毒液，涂在一丛特殊的毛发上，让攻击者记住它们并不是唾手可得的美餐，还很有可能直接毒死攻击者。

有这么一种植物，堪称"东非死神"，那就是名为"辛氏长药花"（*Acokanthera schimperi*）的一种箭毒木，一位非洲植物学家告诉我，这种树也被称为肯尼亚的"国宝级毒木"，因为"任何用毒箭、毒矛或沾毒的陷阱、武器捕猎或御敌的人，都会使用箭毒树的毒液"。不同部落和地域之间，使用毒液的方法各有不同，但最终得到的结果都是一样的——死亡，干脆利落的死亡。"辛氏长药花"的毒液可以毒倒大象，非洲人会用 6 英尺（约 1.8 米）的长弓，搭上 3.5 英尺（约 1.07 米）的毒箭射向野兽，让猎物心脏衰竭而死。

现在你一定觉得，非洲的所有动物都会尽力避开箭毒树吧，但一种名叫"冠鼠"的啮齿动物是个例外。这种动物会用力啃噬箭毒树的树皮和树根，然后将其中的毒液涂抹在身体两侧特异的毛发上。捕食者只要咬上一口，毒液就能进入黏膜，直接让捕食者的心脏停工。

冠鼠的身体构造比较奇特。不同于一般的家鼠，冠鼠的皮毛蓬松，尾巴上也长有毛发，其身体两侧的特异毛发是黑白相间的，让它们具有和非洲艾虎有些相近的外貌。非洲艾虎和臭鼬长得非常像，它们甚至也进化出了臭鼬标志性的"臭气自卫术"。有科学家曾认为冠鼠的毛色是在模仿非洲艾虎，这样无须进化出臭腺也可以借用它们的"坏名声"了。但这个推论的问题在于，冠鼠只有在受到威胁时才会露出黑白相间的毛，其他时间，冠鼠体表的毛是一种整体发灰的颜色，因此"模仿论"应该并不成立。

冠鼠已经进化出独特的自卫方式。在露出黑白相间的特异毛发后，冠鼠会操纵特定肌肉，使这些毛发竖起，突出于其他毛发之上，这样它们就能使用其中的毒液了。也许这些特异毛发不像豪猪和刺猬的刺那么坚硬、锋利，但它们自有独特之处。这些毛发都是多孔的筒状结构，里面有许多长纤维。这些长纤维好似海绵，可以吸收冠鼠混有毒液的唾液。用完这些特异毛发，冠鼠就会用普通毛发将这些"武器"盖好，人们猜测这是为了防止雨水将其中的毒液冲走。

非洲艾虎和臭鼬利用身上醒目的颜色警告捕食者不要招惹它们，而冠鼠则不同。它们在受到威胁时，会向捕食者亮出自己黑白相间的毛发，并转过身，让身体一侧面对捕食者，大概是在"邀请"对方咬自己一口。当然了，被攻击肯定不是理想情况，但如果被咬的命运在所难免，那还不如让捕食者咬在自己的毒毛上，这也证明了它们对毒液的生效时间信心满满。

吃进嘴里的武器

　　冠鼠不过是借用植物的毒液罢了，在海中，有一种颜色艳丽的海蛞蝓，名叫"大西洋海神海蛞蝓"（又名"蓝龙海蛞蝓"），能从人类最恐惧的海洋动物——僧帽水母身上借来武器（其实呢，僧帽水母和一般所谓的水母不同。僧帽水母属于管水母目，管水母目的动物都是由多个成员集合成的群体）。大西洋海神海蛞蝓不会直接把僧帽水母布满刺细胞的触手夺过来放在自己身上，相反，它们会直接食用僧帽水母的触手，然后不知道用什么办法，使刺细胞透过它们消化系统的壁，最后从皮肤上生出，随时准备给蠢到触摸它们的人以重重一击。当然，大西洋海神海蛞蝓不会真像龙一样喷出火来，这在海底还是挺难的，不过被它们蜇一下可是会很难过的。

　　不过，万一注射毒液失败，冠鼠也准备了其他几种御敌手段。或许冠鼠看起来毛茸茸的，但它们其实像橄榄球球员一样，颅骨有骨板保护，脊柱骨骼也很强韧，体表还覆盖着粗糙、紧实的皮肤。冠鼠的皮肤很糙，研究人员曾经检查过一只冠鼠的尸体，它生前曾被狗狠狠地撕咬过，留下了大片瘀青，但即便如此，它的皮肤也没有穿孔。这种动物已经进化出了能够承受重击的能力。

　　狗好像对虐待老鼠有一种特别的偏好，就算它们对毒液一点儿免疫力都没有。狗袭击鼠类的记录不胜枚举，而且常常十分残忍。科学家在刚开始研究冠鼠的特异毛发时，曾记录过狗袭击冠鼠后的中毒症状："从轻度共济失调、口吐白沫、疼痛，到器官衰竭、迅速死亡，死因明显为心脏衰竭。"有一些比较幸运的狗，在经历了痛苦的几周时间后，从昏迷中逐渐恢复了。至少有一只聪明的小狗，"我们认为它经历了濒死体验，最终活了下来，但之后它每次见到冠鼠都会表现出恐惧和厌恶"。

那么，既然箭毒树的毒性有目共睹，这就引出了另一个问题：如果别的生物遇到这种毒液都"见血封喉"，为什么冠鼠把毒液吃到嘴里没死呢？没人知道确切的答案，但线索可能就藏在冠鼠发达的唾液腺里。也许是因为冠鼠的唾液中含有某种对哇巴因（ouabain）免疫的蛋白质，而哇巴因正是箭毒树毒液中的毒性物质。按理说，冠鼠应该多少会吞下一些毒液，所以也许它们的消化系统也对哇巴因免疫。

被吃掉你就输了，所以冠鼠进化出了如此富有创意的方法以避

令人汗毛直竖的经历

你知道为什么猫受到惊吓的时候会把全身的毛都立起来吗？它们是想让自己体形"变大"，以此来吓退入侵者。这种策略很聪明，而且我们人类也有因为曾经使用这种策略而留下的一些迹象——鸡皮疙瘩。人类从会使用同样策略的哺乳动物进化而来，当我们体内的肾上腺素飙升，体表细细的汗毛也会竖起。然而，天冷的时候人也会有鸡皮疙瘩，这是为什么呢？可能是因为我们的祖先在天冷时也会使用类似的对策，让竖起的毛发阻隔一层空气，以更好地与外界冷空气隔开。至于鸡是不是也会使用同样的策略嘛……人家的皮肤天生疙疙瘩瘩，你要人家怎样。

免这个结局。但进化是不会让你永远"占领高地"的。一种生物进化出防御手段，捕食者就会进化出应对之策，然后猎物再进化出更高级的防御，这样的博弈永无止境。说到底，谁都想生存下去。而说到吃，下一章我们要讲的这些动物，可一点儿都忍受不了饥饿。

它们是地球上最难满足的"大胃王"。

第六章

不吃饭你也活不好

　　在本章中，小猴子的手指比人类的还灵活；小甲虫跑得太快以致失明。

　　当然，在捕食关系中，除了猎物还有另外一方——捕食者。想想看，1 英尺（约 30.5 厘米）长的大蜗牛是必须得吃东西的，哪怕把迈阿密吃成荒地它们也不在乎，海底的一种虾也一样（不是都要吃掉迈阿密，是都要吃东西），所以这种虾就进化出了足以砸碎牡蛎壳的攻击能力。想象一下，这是虾界的拳王泰森，只不过多了几条腿，脸上没那么多文身罢了。

非洲大蜗牛

问题：蜗牛吃东西不仅是为了填饱肚子，更是为了增强外壳。

对策：非洲大蜗牛的饭量大到足以吃光一大片植物园。它们曾入侵美国的佛罗里达州，在摄取不到足够的钙来增强外壳时，居然在大片房屋外墙的灰泥上吃喝拉撒。

我先申明：本人对佛罗里达州没有任何成见。我去过那里一次，天气好极了。但佛罗里达……确实是个诡异的地方。再说一遍，我没有成见，也不是怕我的书在那里卖不出去才强调的。不过无论何时，你要是听说有人假扮警察未果，还把裤子脱了露出屁股，试图从快餐店里骗点儿免费食物，你一定会想："哦，是佛罗里达，肯定是。"而且还真是这样（2014年1月发生在奥兰多）；或者有人拨打911报警，只是想查一下自己的税单，嗯哼，也是在佛罗里达州（同年的一个月后发生在圣彼得堡市）；又或者，1英尺（约30.5厘米）长的大蜗牛入侵城市，连建筑物都吃，也只能是在佛罗里达——我没有成见。

佛罗里达的"蜗牛危机"非常严重，非洲大蜗牛在这里已经成了入侵物种，它们在佛罗里达生活得非常滋润。和使用生殖器"击剑"的海扁虫一样，它们是雌雄同体的，因此，一只性成熟的非洲大蜗牛可以和其他任意一只性成熟的非洲大蜗牛交配。交配完毕，它们将各自产下多达400枚卵。算下来，在每只蜗牛10年的寿命中，每年可以产1200枚卵。更可怕的是，非洲大蜗牛还能将伴侣

> **我曾用盐袭击过蜗牛，我很抱歉**
>
> 如果你小时候和我一样无知，把盐撒到蜗牛的身上，还喊道："我要融化啦！"那是因为你太无情，而且完全不懂这种不被称道的行为是错误的。首先，这种行为很残忍，我很抱歉。而且，其实，盐并不会让蜗牛"融化"。蜗牛身上冒泡是因为盐让它们体内的水全部析出了。我再次为可怜的蜗牛感到抱歉，也为这种恶劣的行为感到遗憾。

的精子储存在体内长达两年，让一批又一批卵细胞受精，在这场危机的火上又浇了一把油。

"蜗牛危机"在佛罗里达尤为严重的原因在于，这里没有它们的天敌。而且，非洲大蜗牛身形庞大，本地其他蜗牛完全不是它们的对手。所有的植物非洲大蜗牛都吃，对它们来说，仅佛罗里达一个州就有超过 500 种美食，这让园丁们头疼不已。如果你想让庭院里有一丁点儿绿色，它们都会成为你的噩梦。另外，非洲大蜗牛巨大的壳硬到足以扎破汽车轮胎，如果它们被卷进割草机，壳的碎片就会像弹片一样迸溅而出。蜗牛壳并不会自己变硬，所以非洲大蜗牛必须吃掉它们能遇到的一切含钙物质。也就是说，除了毁掉你种的蔬菜，非洲大蜗牛甚至还会围攻你家房子，咬掉墙上富含钙质的灰泥，因为灰泥的原料是石灰，也就是氧化钙。这种蜗牛连水泥都吃。如果在人为控制的情况下，不提供足够的钙，它们甚至还会吃掉同伴的壳［非洲大蜗牛有舌头，称为"齿舌"（radula），上面长着小而坚硬的牙齿，所以它们不需要咀嚼植物或者建筑物，而是用舌头一点点研磨食物]。

佛罗里达的局势十分紧张，但那里已经不是第一次被这种蜗牛入侵了。早在 1966 年，一个从夏威夷度假归来的家庭悄然多了一些成员——家里的小儿子偷偷带回来 3 只非洲大蜗牛，并将它们交给了奶奶。奶奶随后把这些蜗牛在后院放生了。自那之后，非洲大蜗牛种群爆发了。随后 10 年，州政府花费 100 万美元，消灭了 1.8 万只蜗牛。"蜗牛危机"平息了——暂时的。

时间快进到 2011 年 9 月，第二次"蜗牛危机"。迈阿密的一名地产商首先发现了非洲大蜗牛的身影，自那之后的仅仅 6 个月时间里，州政府就处理了 4 万只蜗牛，比第一次危机 10 年里消灭数量的两倍还多。3 年后，蜗牛的数量暴涨到了 14 万只。公平地讲，州政府已经采取了有效的措施，非洲大蜗牛几乎被控制在迈阿密 - 戴德县(1) 区域内。州政府还发起了一次大型公共宣传活动，做了一张传统通缉令式的海报，把非洲大蜗牛的照片摆了上去。虽然"通缉令"上没有提到悬赏，但宣传活动似乎收效显著。幸好州政府成功发动了群众，不然受损的将是全州数十亿美元的农业产值。如果非洲大蜗牛突破了迈阿密 - 戴德县，也将酿成重大灾难，几乎所有东西都在它们的菜单上，其中也包括广受喜爱的佛罗里达柑橘。

再让我告诉你谁在利用非洲大蜗牛找麻烦吧——那些举办特定宗教仪式的人，他们可能也是从根本上造成佛罗里达第二次"蜗牛危机"的罪魁祸首。据说，一个男人将非洲大蜗牛私自带入美国，并养在他家后院的一个盒子中。仪式上，他活活切开了蜗牛的身体，让他的信徒们喝下了蜗牛的体液。其结果是可以预见的——他忠实的追随者们都感到了严重不适。《迈阿密先驱报》(*Miami Herald*) 的报道称："（病人们）体重减轻，腹部生出了多个肿块。"但这些症状

---

(1)　迈阿密 - 戴德县（Miami-Dade），位于美国佛罗里达州东南部，是该州人口最多的一个县，县治迈阿密。

第一步：敲开蜗牛；第二步：建起家具

　　非洲大蜗牛也许在佛罗里达没有天敌，但在巴西，有一种叫"大蚁鵙"的鸟，会用一种奇特的方式控制这一入侵物种。大蚁鵙会叼起幼年的非洲大蜗牛，将蜗牛带到自己最喜欢的石头旁边，然后叼着它们不断在石头上砸。这是鸟类使用工具的一个典型案例（乌鸦会使用更大的工具帮它们凿开食物——它们会把核桃摆在马路中间，让汽车帮忙）。要我说，大蚁鵙太厉害了。我虽然长了颗人类的大脑，可连拼装宜家家具都费劲，就算说明书上有小插图也不行。

其实都算轻的，非洲大蜗牛能够携带致命的鼠肺线虫，这种寄生虫能穿透人脑组织，让人瘫痪、失明，甚至死亡。

综上就是一群傻子玩弄非洲大蜗牛，最终让所有人跟着受苦的故事。

指猴

问题：蛴螬富含蛋白质，不过，这种小肉虫能钻进树枝里面，好好保护自己。

对策：这种令人难忘的狐猴名叫"指猴"，它们进化出了河狸一样的牙齿，能咬透木材，还有超长的手指，能把小虫子挖出来。

达尔文出版《物种起源》8个月前，才华横溢的英国解剖学家、著名的怪老头儿理查德·欧文（Richard Owen）收到了一封信，信封上的头衔是英国驻毛里求斯的殖民总督。这位总督在离开英国前，曾答应过要寄给欧文一些有趣的博物学标本。在信中，总督写道，他从附近的马达加斯加岛上得到了一个奇怪的东西——指猴。指猴的英文名字为"aye-aye"，取自当地人见到它们时吃惊的叫声。它们是狐猴类中很特别的一种，体形如猫、耳朵巨大，"门牙大得像小河狸"，还有"又细又长"的中指，"只有其他手指的一半粗细，看起来就像弯曲的电线"。接着，总督表明他为了抓住它付出了许多辛苦，"指猴在马达加斯加岛备受崇拜，如果当地人触碰了指猴，他一定会在一年内死去，因此获得一只标本是很难的，我给他们10英镑才让他们克服这种顾虑"云云。

总督将这只指猴养在了一个木头笼子里，一并放进去的还有几根内藏蛴螬的树枝。指猴对这些树枝很有兴趣。它仔细检查着树枝，把大耳朵凑过去仔细倾听，然后"好奇地用手指不断敲击树皮，就像一只啄木鸟，但比啄木鸟弄出的声响小多了，偶尔还把细长的中

不如跳跃

在东南亚的一些岛屿上，生活着另外一种手指高度特化的灵长类动物。眼镜猴是一种夜行动物，体形很小，大约只有你的手掌大，但它们同时也是食量极大的捕食者，能在树丛间来回跳跃，捕食昆虫。眼镜猴的手指和指猴相似，也是又细又长的，但它们的手指前端长有肉垫，能帮助它们紧抓地面——这还不算什么。除了特化的手指，眼镜猴还长有长长的跗骨，也就是脚踝处的骨骼，因此它们也得到了"跗猴"的别称。加长的跗骨让眼镜猴一跃的距离可以达到不可思议的 15 英尺（约 4.6 米），相当于一个 6 英尺（约 1.8 米）高的人类跳过 180 英尺（约 54.9 米）的距离。我觉得要是你的话，你着陆时肯定抓不住地面。

指塞进虫子蛀出的小洞，像医生拿着探针检查病人一般"。指猴敲击树皮是为了惊动其中的蛴螬，然后再细听里面传回的动静。蛴螬会在树枝里钻得更深，但最终指猴总能成功抓住猎物。它会先把洞口处的树皮咬掉，再用又细又长的中指伸入其中，将深处的蛴螬抠出来。

按照这个食谱（配以海枣作为零食——我猜是为了补充纤维素吧），总督一直养活着这只指猴，但它最终还是"越狱"了，具体原因总督在信中没有写明，也许是指猴咬断了木头笼子，也许是其他什么原因。不过总督很快就把它抓了回来，并遵照欧文的指示，将它"用氯仿杀死"。他描述道："指猴的动脉被注射了氯仿，颅腔外露，腹腔和消化道内注射有酒精。最后，它整个被泡进了一桶无色酒精。"总督就这样把指猴尸体送给了欧文,于是后者就这种马达加斯加岛珍奇物种写了份 70 页的解剖报告。

欧文是达尔文的劲敌之一。他是个脾气古怪的老头儿,也是维多利亚时代保守思想的拥护者,十分厌恶自然选择的思想,坚信某种更高级的力量"设计"出了每种生物,并为其"安排"了特定的生态位。而且,他经年累月的坏脾气,以及不堪入目的长相,都不利于这位科学家挽回颜面——他长得简直就像西方坏女巫和吝啬鬼克鲁奇[1]的爱情结晶〔达尔文的一位忠实拥趸——托马斯·亨利·赫胥黎(Thomas Henry Huxley)曾和欧文公开叫板,管他叫"笨蛋"。可以说,欧文和赫胥黎积怨颇深,在一次科学家间的重要会议上,欧文称人类与大猩猩关系遥远,人类不可能由猿类进化而来,因为只有人类的脑内才有海马体——这当然是错误的〕。达尔文发表《物种起源》后,欧文还匿名写过一篇评论,极尽批评嘲讽之能事,后来达尔文在自传中表示,只当他是嫉妒罢了。

公正地说,不论有多反对达尔文,欧文也有自己的一套不太成熟的"进化论"。而且讽刺的是,欧文提出他最伟大的观点要比达尔文提出自然选择学说更早,他的观点还成了达尔文进化论的一个参考。欧文认为,指猴的手指并不应该仅仅被认为是灵长类动物的手部变形,而应该是哺乳动物的手部变形,因为造物主在"制造"所有生物时使用的都是同一张蓝图,这位解剖学家把这张"蓝图"称为生物的"原型"(archetype)。他的发现其实是后来达尔文提出的共同祖先理论的一部分,也就是说,指猴的手指和人类的手指如此相似,是因为很久以前我们拥有一个共同的祖先,而这个祖先也

---

(1) "西方坏女巫"(Wicked Witch of the West),出自美国作家莱曼·弗兰克·鲍姆(Lyman Frank Baum)的作品《绿野仙踪》(*The Wonderful Wizard of Oz*)。"吝啬鬼克鲁奇"(Ebenezer Scrooge)出自英国作家查尔斯·狄更斯(Charles Dickens)的作品《圣诞颂歌》(*A Christmas Carol*)。

伸得可真够长的

历史上另一个错误的"进化论"来自法国博物学家让-巴蒂斯特·拉马克（Jean-Baptiste Lamarck）。拉马克早于达尔文提出了关于生物进化的理论，称生物能够在生活的过程中获得新的性状，并可以将这些性状遗传给后代。根据他的理论，长颈鹿的长脖子是由于它们伸长脖子去够高处的树叶，因而刺激了某种"神经液"（nervous fluid）向颈部集中分泌而进化出来的。而事实是，"长颈"性状的变异基因使得长颈鹿可以够到别人吃不到的树叶，增加了生存的机会，也就增加了传递"长颈"这个性状对应的基因的机会。不过，拉马克同时提出，生物不再使用的器官也将会逐渐退化，这倒是正确的，实例就是裸鼹形鼠的眼睛。

有相似的手。在各自进化的过程中，指猴逐渐朝着某一根手指变长的方向进化着，而我们则倾向于让所有手指的长度相对一致。

但问题是，指猴为什么会进化成这个样子呢？这个问题的答案，也可以用来解释为什么马加平尾虎会长相如此可怕，尾巴为什么长得像树叶。当马达加斯加岛漂离大陆时，岛上的生态系统发生了巨大的变化。岛屿出现地理隔离后，岛上的动物占据了所有可利用的生态位。以指猴为例，它们捕食藏在树枝里的昆虫，占据了通常啄木鸟担当的角色（在地球另一端的巴巴多斯，有另一种有趣的动物——细盲蛇。细盲蛇会捕食蚂蚁，这通常是无脊椎动物，比如蜈蚣的角色。将耗时长久的进化过程飞速快进，这就是强制隔离的力量）。由于指猴没有鸟喙帮忙啄开树皮，它们只得使用灵长类动物变形的工具——灵巧的手指以及啮齿动物般的大牙来帮忙。指猴的牙齿很硬，人工饲养的指猴甚至能咬穿煤渣砖。而它们的手指有多灵巧呢？在指猴的中指里包含一个类似人类肩关节结构的球窝关节，这个关节让它们可以在插入蛴螬巢穴后自如地转动手指。

指猴是自然选择的强大力量以及各种生物间存在内在联系的有力例证。想象一下比人类和指猴的共同祖先更早的时代，几亿年前，早期鱼类进化出了手状鳍，并利用这种鱼鳍爬上了海岸。鱼鳍进化的原因，很可能是要躲避水中的捕食者。这种鱼鳍就是生物进化的"蓝图"。早期鱼类后来进化成了各种各样的四足动物，即今天地面上的所有脊椎动物，包括两栖动物、爬行动物、哺乳动物和鸟类。虽然各种动物的形体不同，但这张"蓝图"却始终保存着。群织雀的"鱼鳍"就是它们的翅膀，宽足袋鼩的"鱼鳍"是爪子，人类的"鱼鳍"就是手，指猴的"鱼鳍"是高度特化用来捕食蛴螬的手——因为我们都是从一个共同的鱼类祖先进化而来的。

虽说欧文是个奇葩，不过他却也提出了一个正确的观点，不管他的观点是不是碰巧说对的——生物的进化确有"蓝图"，自然选择的力量将这幅美丽的"蓝图"一次次地修改，以解决各种生物遇到的问题。你、我、齐嵩鬼克鲁奇、指猴、负子蟾、倭狐猴，我们都是同一个鱼类祖先为各种目的精心雕琢之后的产物，"鱼鳍"就是我们的内在联系。

虾蛄

问题： 各种海底生物都长着硬壳，需要合适的工具才能吃到它们。

对策： 虾蛄进化出了锤子般的螯，能够迅速打击猎物。虾蛄的出击异常迅猛，能够将周围的海水瞬间加温至太阳表面的温度，一击即可击碎贝类和螃蟹的外壳。

生物学家林赛·多尔蒂（Lindsey Dougherty）专注于研究一种"迪斯科蛤"（disco clam），因为，这可是一种很酷的蛤蜊。这种蛤蜊的套膜会闪光，光线花哨，频率极快，乍看之下你可能会以为它们会自发光，就像鮟鱇头部前端的诱饵一般。但事实上，"迪斯科蛤"的套膜结构特殊，对光线的反射能力很强，能够将强光反射进观者的眼睛。多尔蒂猜想这种"灯光秀"是用来吓退捕食者的，于是她就找来了一只面目狰狞、脾气火暴的动物，期待见到蛤蜊更加高频的闪光。

她找来了一只虾。

嗯，这么说可能有点儿误导读者。虽然看起来像虾，但虾蛄不是虾，而属于甲壳动物分类下的另一个目——口足目（Stomatopoda）。但其他的形容都是真的——虾蛄的确脾气火暴，且攻击力极强，绝对不好惹，"拇指收割机"这个外号可不是白得的。

根据多尔蒂的录像显示，虾蛄先是慢慢接近蛤蜊，抓住它，想要撬开蛤蜊的壳，但突然，虾蛄退缩了。过了一会儿，虾蛄再次接近，又退缩，然后又接近，又退缩，最后不知什么原因，虾蛄停下了动作，可随即又打起了精神，把蛤蜊背到了背上。要我看，是这只虾蛄太失望了，完全不想接受现实——它居然遇上了一个它杀不死的东西。其实，很可能是由于"迪斯科蛤"浮动的触手里含有硫，这些硫产生了某种影响，导致了这个结果。一般来说，如果虾蛄遇上了身形相差不悬殊的对手，那么极有可能虾蛄能够把对手肢解。"迪斯科蛤"这回事嘛……只是个意外。

虾蛄分为两类——穿刺型和锤击型，这两类虾蛄可以靠其面部下方的"攻击武器"来区分。虾蛄有个俗名叫"螳螂虾"，这个俗名正是来自第一类虾蛄。"穿刺型"虾蛄有两只尖刺状的螯，看起来和螳螂的前肢很像，只不过颠倒过来了（这种虾蛄从底部向上攻击，捕获猎物，抓住猎物的方式就像你用前臂抱起一捆柴火）。"穿刺型"

攻击小猫也可以，前提是它们干了坏事

甲壳动物，比如虾蛄，常常被人认为是水生动物，但其实这个分类之下也有不少是陆生的物种。常见的鼠妇，或者叫潮虫，或者也可以叫其他什么你喜欢的叫法——其实就是一种甲壳动物。还有陆地上体形最大的甲壳动物——椰子蟹。椰子蟹是一种寄居蟹，却不用寄居在螺壳中，因此它们可以长到 3 英尺（约 0.9 米）长，10 磅（约 4.5 千克）重。椰子蟹的双螯非常有力量，甚至可以剥开坚硬的椰子壳，"椰子蟹"的名字也正是因此而来。在椰子蟹栖息的太平洋小岛上，它们也经常攻击……小猫。我也不想告诉你们这个的，不过谁知道呢，也许是那些小猫干坏事了呢。人嘛，总要往好处想的。

虾蛄一般习惯在沙子里挖洞生活，对经过的小鱼进行"闪电快攻"，速度之快肉眼几不可见。得手后，它们就会退回巢穴，身后只留下一片银色的"鱼鳞之雾"。"穿刺型"虾蛄的动作太迅速，以至于研究虾蛄的世界级专家希拉·派达（Sheila Patek）都没办法把它们的出击场景录下来，因为她供职的大学没有足够高级的相机，她的相机每秒拍摄的帧数不够。最终，还是一个BBC摄制团队的到来为她解了围——派达说服摄制团队借给了她一台足够拍摄虾蛄出击场景的全新摄像机，而她则以为他们提供故事脚本作为回报。

不过，看似更加不可能的还要数"锤击型"虾蛄的出击。"锤击型"虾蛄的出击，从原理上讲非常简单——在虾蛄螯的顶端，有一个膜结构的凹陷，这个凹陷弯曲呈鞍状，作用相当于一个弹簧。当虾蛄收缩螯部的大块肌肉时，其螯部前端的"锤子"也会随之收起，"弹簧"被压缩，此时，螯内部的一个类似门闩的结构将就位。这个"门闩"顶住了螯部肌肉收缩时积攒的巨大能量。一旦"门闩"打开，"弹簧"就会弹开，推动"锤子"以每小时50英里（约80.5千米）的速度前进。在水中，这个速度是非常惊人的，遭遇这种攻击的结果也往往是毁灭性的——蛤蜊外壳会被击碎，更脆弱的动物，比如螃蟹，通常就直接"粉身碎骨"了。而且，"锤击型"虾蛄常常会首先攻击螃蟹的大螯，不给猎物徒劳的自卫留下任何机会。

在研究中，派达意识到，虾蛄的攻击可能已经超越了人类技术。当她准备测量"锤击型"虾蛄的攻击能带有多大的力时，竟然发现买来的测量工具刻度不够。她的仪器最高只能测定到100磅，而虾蛄的"锤子"可施加的力要超过200磅（约889.6牛顿）。等派达终于换上合适的工具，得到数据后，却又发现了一件怪事：在初始的峰值出现仅约1秒后，数据中又出现了第二波峰值——这是由空穴现象形成的气泡导致的。和鼓虾一样，"锤击型"虾蛄的出击快速到使水流产生了这些具有高度破坏性的气泡。气泡在猎物身上扩散、爆开，除了形成冲击波，更将周围的水温瞬间升高至太阳表面的温度——将近 10000 华氏度（约 5537.8 摄氏度），还形成了一瞬的闪光。虾蛄的攻击可谓"一次发力，两次效果"，既有第一次的强力打击，又有紧随其后的气穴气泡打击。

你也许会想，如此强力的锤击对武器本身的破坏其实也很大——你是对的。派达甚至见过已经磨损到肌肉的"锤子"（我要重申，这种动物光看着就很恐怖，更别提它们时刻都填不饱的肚子了）。不过，作为节肢动物（具有外骨骼，以及其他一些重要特征的一类无脊椎动物的总称）大家庭中的一员，虾蛄也可以脱掉"盔甲"，再长出新的，并换上亮闪闪的新"锤子"。当然，等待新生的外骨骼变硬的这段时间很危险，但虾蛄还可以吓唬入侵者。如果这

蚂蚁变身爆米花

如果你想要在动物界寻找最快速、最强力的攻击能手，希拉·派达是你一定要拜访的科学家。除了虾蛄，派达的另一个研究对象是锯针蚁。和"锤击型"虾蛄类似，锯针蚁也使用锁闩机构的原理来"锁住"大颚，积蓄巨大的能量。锯针蚁的颚上有特殊的毛发，当这些毛发扫到猎物时，就会触发攻击，将猎物狠狠咬住，或者投向空中。当锯针蚁遇到威胁时，它们甚至还会把这种武器用在自己身上——通过对地面触发大颚的攻击，锯针蚁能将自己弹射起来，翻着跟头让自己远离危险区域。如果你在蚁穴内侵犯任意一只锯针蚁，整个种群就会一齐弹射起来，那样子就像你引爆了一大锅爆米花似的。

段无法出击的时间真的遇上了威胁，它们就会挥起"锤子"，希望捕食者能"闻风丧胆"。

说真的，节肢动物有在海里游的、在天上飞的，也有在地上跑的，但它们身上的外骨骼真的可以说是"神通广大"的工具。外骨骼让虾蛄有肉吃，还能在"胳膊"磨损之后换上新的，为它们抵御捕食者和自然环境提供了武器。在之后的章节中，我们还能看到外骨骼帮助甲壳虫以及其他一些动物征服地球的故事。外骨骼形成的贝壳能带上各种颜色，帮助动物们吸引异性进行交配，或者向饥肠辘辘的捕食者宣告自己有毒。外骨骼还能变成各种各样古怪的身体结构，而我们哺乳动物，则只能依靠自己的血肉之躯。

我并不是说哺乳动物低人一等。从某种程度上讲，由于外骨骼有越变越重的趋势，因此便会阻止节肢动物长得过大，而脊椎动物依靠内骨骼支撑身体，因此体形可以很大。这不过就是进化给了无脊椎动物和脊椎动物不同的礼物罢了。我们得到了灵光的大脑，虾蛄有了它们独特的武器，说实话，我觉得没什么不好的。毕竟，强壮到一把击碎蛤蜊的壳貌似也挺难的吧。

食骨蠕虫

> **问题**：深海的海底荒芜凄凉，食物极其短缺。

> **对策**：一种蠕虫学会了钻进沉入海底的动物尸骨，在一种友好细菌的帮助下分解、消化其中的营养。

生物以各种复杂的方式依赖着阳光。首先与阳光产生联系的生物是植物，植物进行光合作用，将阳光的能量引入食物链，传递给吃植物的昆虫，昆虫传递给吃昆虫的鸟类，鸟类传递给吃鸟类的哺乳动物。

对海洋生物来说，情况也是一样的。浮游植物群浮在水面上，吸收着太阳的能量，浮游动物吃掉浮游植物，然后鱼类吃掉浮游动物，能量逐层向上传递。不过，食物链上的任何生物都会有一个共同的结局，那就是"大限将至"，沉入无底的深渊，变为一团废弃物，最终成为海洋雪（marine snow）的一部分。"海洋雪"这个名字听起来祥和安逸，但其实就是各种生物的尸体。在海洋的各个深度上，都会有守株待兔的动物以下沉中的海洋雪为食，因此只有很少的营养物质能够沉降到海底。海底的海洋雪中营养极其匮乏，假如一头鲸鱼死亡并几乎完整地沉降到底（它在下沉过程中也会遭到各路"投机者"分食，但一大头鲸鱼在沉底前不至于被吃光），那这头鲸鱼尸体能为海底生物提供的食物甚至可以相当于海洋雪几千年来积攒的营养总和——这正是海床上那些饥肠辘辘的食腐动物苦苦等待的机会。这些"海床清道夫"会把巨大的鲸鱼吃到只剩骨头，然后还不罢休——有一种生物，甚至连骨头都不放过。

食骨蠕虫属（*Osedax*）的动物外形很漂亮。每条食骨蠕虫有
1～2英寸（2.5～5厘米）长，拥有白色、管状的身体，顶端长
有红色或粉色或橙黄色的流苏，这是一种触须状的结构，用于吸收
氧气。但食骨蠕虫真正的神奇之处在于你看不到的地方。食骨蠕虫
的胃深入鲸鱼的骨头当中——准确地说，应该是行使着胃功能的器
官。这种蠕虫没有口腔，也没有肠，它们会"扎根"在骨头中间，
根据具体种类的不同，在骨头中形成简单的球状，或细长卷曲的芽
状结构。这些"根"能够释放大量的酸。在它们的"根"结构中，
还住着一种共生细菌，这种细菌能够让骨头中的脂肪和蛋白质被食
骨蠕虫的身体组织吸收，并转化成能量。在这个过程中，食骨蠕虫
要做的就是安静地待在原地，让细菌放手劳作。通常情况下，食骨

食骨蠕虫：搞坏了1亿年历史的化石

化石的形成其实要求非常高，所有的环境条件都必须
正合适才可以。尸体刚好被泥沙掩埋？这是个有利条件，
但你还得祈祷尸体石化之前别先被食腐动物给肢解了。身
体柔软的动物，比如各种蠕虫，尤其难以石化，但这并不
是说它们无法留下存在过的痕迹。举例来说，科学家曾发
现海龟和蛇颈龙（就是那种脖子超长的水生爬行动物）的
化石骨骼被钻出了好多洞，这表明黏糊糊的食骨蠕虫自己
无法变成化石，却在至少1亿年的时间里一直在阻碍别人
的骨头变成化石。噢，我用科学家的话重新说一遍："食骨
蠕虫也许对水生脊椎动物的化石形成有十分显著的负面影
响。"这么说听起来学术多了。

蠕虫会成群结队地覆盖在骨头表面，轻轻摇摆着，看起来就像一棵棵靠地下水维生的小树苗。作为回报，它们能为体内的细菌提供一个温暖的家。

说出来可能吓你一跳，其实吃骨头并不是什么值得大惊小怪的事。鬣狗的下颌很强健，它们也会把猎物的肋骨咬下来吃，就跟你我咀嚼芹菜梗一样简单。食骨蠕虫进食骨头的方式才是它们在动物界独一无二的原因——没有任何其他动物这么进食了，更别提这还是这种动物唯一的进食方式。对鬣狗来说，骨头相当于吃饱一顿肉食之后的餐后甜点，但食骨蠕虫只有骨头。它们的食谱上只有骨头溶解液，日复一日，每天如此，而且有骨头吃都算幸运了——两头鲸鱼相继死亡的概率极低，就算有也不可能在同一个地方沉底，因此食骨蠕虫一旦找到鲸鱼骨头就会安定下来，把自己永久挂在骨头上，食骨度日。

然而这种定住不动的生活方式又会给交配造成麻烦。更令人摸不着头脑的是，科学家一开始竟然只在鲸鱼骨上发现过雌性食骨蠕虫。所以……雄性都去哪儿了？直到把雌性解剖开来，科学家才发现，原来体形微小的雄性都藏在雌性体内。在雌性体内的雄性可以多达100条，每条都只有雌性体长的十万分之一。说实话，这些雄性食骨蠕虫就是个包裹着精子和营养物质的袋子。它们无法进食，终生靠出生时带来的那点儿营养过活，在营养逐渐消耗的同时为异性提供精子，直到精子用光，补给吃完，整个身体都被掏空为止。

不过，在这种情况下，雄性食骨蠕虫到底是怎么找到雌性的呢？科学家发现，食骨蠕虫的幼虫会随着洋流不断漂流，只有在降落到雌性身上的时候，才会发育为雄性。那些降落到骨头上的幼虫，就会把自己固定在骨头上，并发育为雌性，将来长大成为成熟又可爱的蠕虫模样，等待着"准雄性"的降临。当雄性与雌性相遇时，两者的配子就会融合，雌性随即产下后代，让后代继续随洋流远去。

为爱而死

　　终生留在伴侣体内听起来还挺惨的，但雄性食骨蠕虫的处境真算不错的了，动物界还有好几位，为了交配得赔上自己的性命——我的意思是，雌性会把它们吃掉。一种理论认为，通过吃掉雄性，雌性可以获得产卵所需的宝贵营养。也就是说，雄性的死亡换取的是基因传递成功率的提高。事实上，一项关于螳螂的调查显示，身体状况差的雌性比健康雌性更有可能吃掉伴侣，而吃掉伴侣后的雌螳螂产下的卵更重……还能大大减小雄性悔婚的概率。

由此，食骨蠕虫得以遍布整个海床。这整个过程听起来挺复杂的，但从生物进化的角度看非常合理。雄性食骨蠕虫无须进食，因此不用担心和雌性争夺海床上短缺的食物，永久和雌性相依为命，又能保证它的基因传递。食骨蠕虫的繁殖过程与同样会改变性别的缩头水虱，以及生活在深海的鮟鱇都非常相似——雄性不进食，而且在发现雌性后就一把抓住，绝不松手。

　　奇怪的是，有一种特殊的食骨蠕虫——"殖神食骨蠕虫"（*Osedax priapus*），它的繁殖方式和它的同类不一样。殖神食骨蠕虫的雄性个体和雌性个体体形接近——雄性只比雌性小3倍，和同类动辄10万倍的体形差相比相差悬殊，而且雄性也不会依附于雌性，它们会把身体拉长，直接将精子"递给"相邻的雌性。那么，为什么殖神食骨蠕虫与其他种类不同呢？原因可能要归结于它们的体形比同类小。其他种类的食骨蠕虫，雄性个体变小的原因也许是对食物的竞争——殖神食骨蠕虫完全依靠鲸鱼骨生存，所以如果雄性不参与竞争，那物种的生存概率将大大上涨。但殖神食骨蠕虫的体形太小了，相比之下对食物的竞争就不算什么问题了。其他种类的雄性与雌性融合能保证交配成功，但若雄性体形不变得这么小，它们就也能在骨头上大快朵颐，为产生精子积蓄更多能量。再说，它们也可以与多只不同雌性进行交配，不用终生把自己奉献给一个伴侣。

总结一下，整个故事的开头就是太阳为食物链提供了初始能量。浮游动物吃掉了以太阳为能源的浮游植物，食物链顶端的鲸鱼吃掉了浮游动物，然后鲸鱼死了，沉入海底，又成了海底生物的食物。食骨蠕虫发现了鲸鱼的尸骨，生下了小幼虫，然后小幼虫又找到了雌性食骨蠕虫，然后周而复始，为它们的孙辈们留下了一段佳话。

哦不，这个故事好像不太适合讲给孙辈们听，还是算了吧。

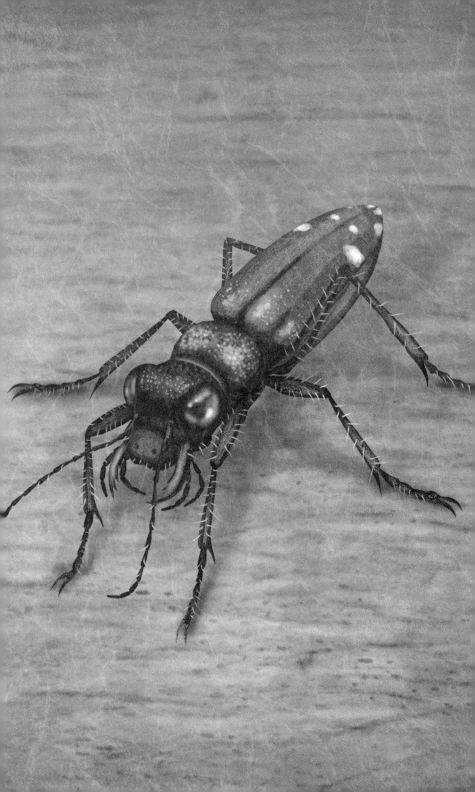

虎甲

问题：猎物们都跑得很快啊。

对策：虎甲靠迅捷的速度傲视群雄。不过它们跑得实在太快，会导致瞬间失明，所以每跑一段就要停下来重新导航。它们可以说是永远填不饱肚子的顶级"冲刺能手"。

1858 年 10 月，也就是阿尔弗雷德·华莱士周游东南亚列岛的第 4 年，他来到了一小片林中空地。在那里，他与各种动物来了一次白雪公主式的偶遇，尤其是和各种甲虫——象甲、天牛，还有好多漂亮的金色甲虫……太多了。华莱士后来回忆道："我沿着小路行走，它们成群结队向我冲来，让我周围充斥着嘈杂的嗡嗡声。"和所有上进的博物学家一样，之后的三天时间里，他再次回到那片空地采集标本。就在那一小片林地中，华莱士一共采集到上百种甲虫的标本。

我给你个数据吧：四分之一。这不是地球上无脊椎动物所占的比例，也不是所有无脊椎动物中昆虫所占的比例，而是地球上的所有动物中，甲虫类所占的比例——整整四分之一。在动物界中甲虫的数量占有绝对的优势地位，所以华莱士能一下子遇上那么一大堆甲虫似乎也就不足为奇了。有的甲虫长得像一辆小坦克，有的甲虫会把动物粪便团成球，然后以此为食（因为……总得有人干这些事吧），还有的甲虫是动作迅猛、力量强大的杀手……但所有甲虫中的王者还要数虎甲。这种甲虫长有颀长的大腿，追捕猎物的速度快到眼睛都会失明。

我要是直接告诉你以下这些数据可能不太好：在 2700 种虎甲中，动作最快的是一种澳大利亚的品种，经测算，这种虎甲每小时能跑 5.6 英里（约 9.0 千米）。这个数字听起来也没什么了不起的，但你要知道，英国心脏基金会（British Heart Foundation）曾推荐"健康状况极佳"的人行走锻炼时的步速控制在每小时 4 英里（约 6.4 千米），而行走步速的平均值则为每小时 3 英里（约 4.8 千米）。所以下次你在散步的时候，可以想想一只四分之三英寸（约 1.9 厘米）长的甲虫的速度都比你快。如果让你们同时跑 1 秒钟，虎甲可以跑过 125 个身长的距离，而你连自己身高的距离都跑不完。即便是在马力全开的情况下，跑步速度最快的人类也只能在 1 秒内跑过 6 倍身长的距离，相比之下猎豹为 16 倍。考虑到虎甲的体形

展开双翅，释放魅力

到底是什么原因让甲虫家族如此繁盛呢？在很大程度上，这与它们翅膀上的那层甲壳有关。那层甲壳被称为"鞘翅"（elytron），其实是变了形的前翅，用于覆盖起飞行作用的后翅。瓢虫起飞前要先把带斑点的甲壳翘起来，这个场景你一定不陌生吧？那就是瓢虫的鞘翅。对那些不会飞的甲虫来说，鞘翅就相当于一层盔甲。对生活在水中的甲虫来说，鞘翅可以贮存气泡，让它们在水下也可以呼吸，和水蛛呼吸的原理差不多。鞘翅还可以帮助生活在沙漠中的甲虫保持湿度。因此，鞘翅就好像超级英雄的斗篷，只不过原料不是布料，而是"背部高度骨化的角质层和腹部相对较柔软的角质层"——听起来可比斗篷厉害多了。

那么小，它们的速度简直快到了难以想象的程度，如果换算到人类的身上，就相当于一个人在以每小时480英里（约772.5千米）的速度冲刺。

虎甲的冲刺速度如此之快，以至于在追捕猎物的过程中，它们的眼睛根本无法收集到足够的光线，即便它们眼睛的敏锐程度在昆虫中名列前茅。因此，每隔一会儿，虎甲就需要停下来，重新对猎物进行定位，一般来说，这样的停顿会出现3～4次。虽说虎甲偶尔停步，但这跟它们的高速比起来根本不算问题。一旦抓住猎物，它们就会用巨大的颚把猎物牢牢抓住，然后撕成碎片。

不过，高速跑动时，虎甲并不能把注意力全都放在猎物身上，它们还要留神石头、树枝等障碍物，毕竟，要是在路上摔个倒栽葱可就不好办了。但研究表明，虎甲辨识环境并不完全依赖视力——它们还依靠伸向前方的触角来判断周围有无障碍物。夜行性的虎甲一般长有细长、卷曲的触角（蟑螂基本上也属于夜行性昆虫，不属于甲虫，但也使用这种方法感知环境），而昼行性虎甲（就是白天活动的虎甲），它们的触角是直的，略微向下倾斜。虎甲的这种习性很特别，我们一直以为只有夜行性昆虫才不用眼睛，而使用触角来感知环境，但昼行性虎甲的速度使得它们必须依靠机械感觉（mechanosensation）弥补视觉的缺陷，就是说，它们也会捕捉环境中的机械信号。

你也许想问科学家是怎么做出以上研究的，其实，这个实验非常简单。研究人员将虎甲分为三组：一组为正常标本，一组的标本遮住眼睛，另一组的标本切断触角，然后将三组标本一起放置在一条有障碍的路径上，并设置摄像机，以每秒400帧的帧率进行拍摄。准备完毕后，研究人员用画笔轻触虎甲标本，催促它们开始冲刺。结果显示，被切断触角的虎甲多次撞上障碍物，而正常虎甲和被遮住眼睛的虎甲均表现出色。实验录像证明，触角是虎甲躲避障碍的

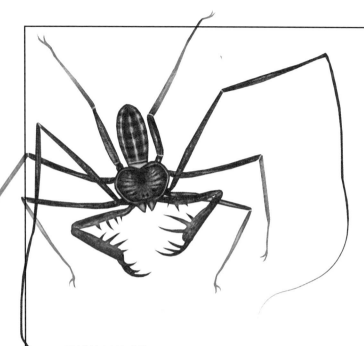

一只被拉长的动物

　　蛛形纲的动物都没有触角，但有一类长相可怖的动物明显不这么认为——鞭蛛（准确地说，鞭蛛不属于蜘蛛，它们长得更像蝎子，但人们常常把它们和长相相似的鞭蝎弄混了。鞭蝎也不属于蝎子，而鞭蛛又常常被人俗称为"无鞭蝎"。能明白吗）。和虎甲一样，鞭蛛也需要感知周围环境的情况，但它们使用的工具，却是加长的前足。鞭蛛其他几对足已经很长了，这对用作触角的足更是长到不可思议。当"触角"碰到猎物时，鞭蛛就会用边缘多刺的"钳子"将猎物抓住。这种"钳子"被称为"须肢"（pedipalp），它们会把消化液注入猎物，把猎物溶解成奶昔之后再大口吃掉（严格来讲也不像奶昔啦）。

关键。若触角与障碍物有所接触，触角就会暂时被折弯，让虎甲探测到障碍，改变路径，触角随即回复原位。因此，在野外，即便是昼行性虎甲也会有和夜行性同类相似的习性，只不过遮蔽它们视线的不是黑夜，而是高速。

虎甲的幼虫虽然还没有长出成虫的"飞毛腿"，基本定居一处生活，但比起速度和残忍，幼虫可一点儿都不输成虫。它们会在地上挖出一个圆筒形的洞，把细长的身体藏在洞内，只露出长有"盔甲"的脑袋和大大的触角。虎甲幼虫的背部有两个钩子一样的结构，帮助它们把自己固定在洞穴中，以防在抓捕比自己大的猎物时，被拼命挣扎的猎物拖出洞。要是有可怜的昆虫不幸经过洞穴门口，它们就会猛地钻出来，咬住猎物，用力又拖又拽，直到你可以想象的结局——猎物痛苦地死去。吃够足够的猎物，幼虫就会长大，永远离开舒适的土洞，成长为世界上最出色、最凶残的冲刺能手。

第七章

你不能让到手的猎物跑了

在本章中，捕食性螺把胰岛素当成武器；小昆虫胆敢攻击查尔斯·达尔文。

能抓住猎物固然好，但抓住之后不让猎物逃跑可就是另一回事了。对此，动物在进化过程中想出了许多很有创意的对策。我是说，放毒箭、发射黏液炮弹什么的；还有张尤其可怕的嘴，居然连查尔斯·达尔文都敢咬。

流星锤蜘蛛

问题：一般的蛛网是抓不住飞蛾的。

对策：流星锤蜘蛛能模仿出雌蛾发情时分泌的信息素的味道，以此吸引雄蛾。雄蛾飞来后，它们就挥舞起特制的网——其实就是一根蛛丝吊着一个小黏液球——朝猎物掷去。

在南美洲旅行时，达尔文对南美牛仔产生了浓厚的兴趣。那些牛仔都是技巧高超的驭马大师，达尔文深深为他们的技术着迷。在这些牛仔常用的工具中，最好用的就是流星锤了——把两三块石头或者铁球用皮绳绑好，就能制造一股可怕的旋风。当牛仔甩起流星锤并掷向猎物时，流星锤能绑住猎物的四肢，通常情况下，力度大到可以直接折断骨头。

出于兴趣，达尔文也想试试身手。于是他跨上马，转起流星锤，然后放手一扔——却把自己"扔"了出去。流星锤撞上灌木丛，掉落在地，绳索却缠住了马腿。"幸好这匹老马训练有素，"达尔文在《"小猎犬号"航行日记》中记述道，"也很清楚该怎么办，不然肯定会不断挣扎直至挣脱，周围的牛仔狂笑不止，大喊着，他们什么动物都抓过，还真没见过有人能抓住自己。"

就在达尔文出过丑的那片丛林里，正好有一种蜘蛛——流星锤蜘蛛，名字恰巧就取自这种牛仔的"神器"。流星锤蜘蛛属于圆蛛，它们不会织复杂的蛛网，当然也不会朝猎物投掷铁球，但它们的捕猎方式和投掷流星锤很相似，不过其中的原理更加复杂。白天，流星锤蜘蛛躲避着人们的视线。有几种流星锤蜘蛛身上长有黑白交织的花纹，看起来脏兮兮的，很像鸟粪，让捕食者提不起胃口。夜幕降临之际，流星锤蜘蛛就要开始捕猎了，此时，雄蛛和雌蛛将采取完全不同的捕猎战术。

雌性流星锤蜘蛛放弃了编织精密蛛网的努力，相反，它们会在两片树叶或两根树枝之间拉出一根蛛丝，然后再在这根蛛丝上加一条新丝。吐出第二根丝的同时，蜘蛛会用步足将吐丝器中分泌出的黏液附着在蛛丝上，并在蛛丝末端制造一个黏液球。当蜘蛛将丝线从吐丝器上切断后，黏液球就会借重力将丝线拉直，让第二根蛛丝与第一根垂直。到此为止，雌性流星锤蜘蛛的武器就准备停当了，它一条腿挑起蛛丝，等待着猎物的到来。

不同种类的流星锤蜘蛛，使用"流星锤"捕猎的方法也不同。有的蜘蛛会一直等到看到猎物到来再挥起"流星锤"，以超高的速度和准确度粘住飞蛾［这其中的一种 —— "迪氏乳突蛛"（Mastophora dizzydeani）——其学名出自著名棒球投手杰罗姆·迪恩（Jerome

---

伪装成鸟粪的优势

很多动物都会把自己伪装成鸟粪，因为 —— 我就直说了吧 —— 没人想和鸟粪过不去。这其中最成功的"伪装者"，应当说是流星锤蜘蛛的近亲，同属圆蛛类的另几种蜘蛛。和流星锤蜘蛛不同，这些蜘蛛是需要织网捕猎的，但这么大一张网也会让它们很容易被捕食性蜂类发现及杀死。因此这些圆蛛就会在蛛网的中心用蛛丝织出一小片厚实的白色区域，然后趴在上面一动不动，借用自己身上黑白交织的颜色，上演一场伪装术。

Dean）的绰号"晕眩"（Dizzy）]。这么称呼这种蜘蛛当然不是因为它的平衡系统有缺陷，而是因为它们行为诡异。至于这种蜘蛛的统称"流星锤蜘蛛"，一位专家曾建议，虽然这种蜘蛛的捕食原理与流星锤的原理并不完全一致，但还是应该保留这个名字。他还表示，如果更准确一点儿，应该叫它们"黏液悠悠球蜘蛛"。另外一些蜘蛛选择采取更为激进的办法，一旦附近有飞蛾飞过就会疯狂地甩起"流星锤"，直到粘住猎物为止。甚至还有一些蜘蛛，它们都不在意猎物有没有出现，只要黏液的等待时间一到 15 分钟，就会开始"挥锤"。这种蜘蛛的黏液一旦超时就会开始蒸发，所以如果它们半小时后还未能捉住猎物，就会自己把蛛丝吃掉。

流星锤蜘蛛之所以使用这么麻烦的方法，是因为飞蛾能逃脱一般蛛网的捕捉。蛛网是黏的，没错，但飞蛾全身布满鳞片，鳞片能脱落，这样飞蛾就能逃走了。因此，流星锤蜘蛛的陷阱可不仅仅是一滴胶水那么简单——它们的黏液由两种黏性不同的液体构成，黏液球的外层黏性较低，里层则黏稠、光滑。在里层黏液中，还有大量卷曲的蛛丝，确保在蜘蛛四处挥舞"武器"时，蛛丝可以延长，以增加攻击范围。流星锤蜘蛛几乎不会空手而归，平均每晚能捉住两只猎物。当它们捉住猎物之后，黏液球中黏性较弱的外层就会渗入鳞片之下，粘住飞蛾表皮，此时，额外的蛛丝则会起到减震的作用，减弱捕获瞬间的震动，以及飞蛾挣扎时产生的震动。成功捕获猎物后，流星锤蜘蛛就会顺着蛛丝爬过来，一口咬死飞蛾，然后慢慢收线。有时，它们还会把飞蛾留在蛛丝那头不管，直接开始制造新的"流星锤"。

然而，还有一件怪事——流星锤蜘蛛捕捉的只有特定几种飞蛾的雄性个体。这怎么可能呢？森林里遍布各种昆虫，流星锤蜘蛛是怎么选中特定种类的飞蛾进行捕捉的呢？另外，它们又为什么限制自己，在菜单上只放这么几种食物呢？其实，是因为流星锤蜘蛛会

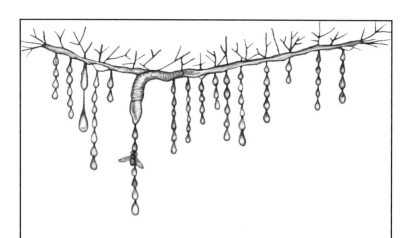

有个闪光屁股的优势

在新西兰的洞穴中有种昆虫叫发光蕈蚊（fungus gnat）。虽然这种昆虫和流星锤蜘蛛没有关系，但它们有很相似的捕猎方式。这个故事的主角是这种昆虫的幼虫。和流星锤蜘蛛刚开始先拉出一根横向的支撑用蛛丝一样，蕈蚊幼虫会吐出附着有黏液的发光管状丝线。它们能在洞穴的顶端悬挂多达 70 根这样的发光丝线，每根发光丝线上都有好几滴黏液液滴。和流星锤蜘蛛不同的是，它们不会释放信息素，而是通过自发光的方式吸引猎物。当昆虫不幸被光线吸引，撞上"钓线"时，蕈蚊幼虫便会顺着丝线爬到猎物面前大快朵颐。综上，这种幼虫不用疯狂到"色诱"猎物，这一点还是很不错的。

释放特殊的气味，来模仿某几种飞蛾雌性信息素的味道。雄性飞蛾以为自己有机会快活一把了，于是便纷纷涌来，结果没想到却落入了蜘蛛的陷阱。流星锤蜘蛛甚至可以制造两种飞蛾信息素的混合物来同时模仿两种飞蛾的味道。比如这种流星锤蜘蛛——哈氏乳突蛛（*Mastophora hutchinsoni*）——专门捕猎活动时间一早一晚的两种飞蛾，随着夜越来越深，通过调控激素水平，它能够逐渐降低对第一种飞蛾的吸引力，进而逐渐提高对第二种飞蛾的吸引力。

流星锤蜘蛛这么"挑食"也会带来麻烦。其他种类的蜘蛛通过结网来无偏好地捕食各种昆虫，流星锤蜘蛛却有可能陷入栖息地无目标猎物的困境。因此它们学会了先"测试"栖息环境。夜幕降临，在制作"流星锤"之前，它们会先释放气味"挑逗"雄性飞蛾。如果没有飞蛾出现，好吧——与其浪费能量、资源和时间制造陷阱，还不如赶紧搬家到森林的其他地方。但如果飞蛾真的出现了，即便只是飞到附近，让它们感觉到了振翅时产生的振动，蜘蛛也会随即开始准备捕猎（所以如果你想糊弄一下流星锤蜘蛛，只要这时候在它身边发出"嗡嗡"声，它就会觉得你是只飞蛾，开始准备"流星锤"了，真的会）。

最后再说一下雄性流星锤蜘蛛。雄性个体的体形相对较小——蜘蛛都是这样的。它们太小了，以至于无法捕食飞蛾，所以也就不用费心制作"流星锤"了。雄性流星锤蜘蛛一般潜伏在树叶之间，用它们毛茸茸的足捕捉飞蝇。因此，流星锤蜘蛛的雌、雄性个体就占有了不同的生态位，避免了彼此竞争食物。虽说雄性没办法挥舞"流星锤"，不过往好处想想，它们也永远不会像达尔文一样当众出丑，被同伴嘲笑嘛。

栉蚕

问题：一般来说，长得像蠕虫一样的动物都跑不快。

对策：虽然速度不快，但栉蚕的武器着实让人惊叹。它们会从两条变了形的腿里面喷出黏液——你没看错，是腿——然后用黏液困住猎物。最后，它们再透过猎物的外骨骼，慢慢享用。

流星锤蜘蛛进化出了一套复杂的化学引诱系统和一套黏液陷阱系统，但你也许会觉得它们仿佛还活在远古时代。毕竟，非得离那么近才能对目标发起攻击，看起来就像一个骑士，冒着受伤的危险贴近敌人再实行致命一击（化学信号的引诱是个例外）。因此，要是把流星锤蜘蛛比喻成来自往昔岁月的步兵，那栉蚕就可以说是"死亡神射手"。和流星锤蜘蛛相似的是，栉蚕也有自己独特的黏液武器，但它们可以远程攻击，然后再悠闲地接近战利品——全无近身肉搏之虞。

全世界共有100多种栉蚕，都生活在热带和温带的森林中，身体可以长到6英寸（约15.2厘米）长。关于这种动物，你要知道的第一点就是——它们浑身都是腿，即便那些不像腿的部分，也是腿。不同种类的栉蚕足的数量也不同，有的只有12对短粗、黏滑的"小短腿"，有的则有40对充满高压液体的足。栉蚕的腿可不简单，在进化力量精巧的安排之下，它们将一对足变形成了触角，一对足变形成了"黏液大炮"，还有一对足变形成了上、下颌。最后这个变形听起来尤其不可能，但你听我解释：在栉蚕的每对足上都长有弯曲的爪子，帮助它们在森林下层的灌木丛间爬行，正因如此，所有种类的栉蚕都属于一个特殊的门类——有爪动物门（Onychophora）。这些爪子形如尖牙，其实非常适合变形成一对颌。

由足变来的触角能帮助栉蚕感受空气中猎物的化学信号，但这种动物更奇特的感受器官其实是——它们的整个身体。栉蚕全身覆盖着一层细小的突起，这些突起能感知由潜在猎物的运动产生的空

多足的生物

多足的栉蚕长得和蜈蚣以及马陆比较相似，但其实它们和这两类身穿"盔甲"的节肢动物不过是远亲而已。蜈蚣是有毒的，又叫"百足虫"，但其实大都长不到 100 条腿，而无毒的马陆，又叫"千足虫"，则最多可以有 750 条腿。

要是哪天你遇见了它们，或者想把它们拿在手里，分辨这两种动物的一个办法就是看它们是否主动攻击你——当然还是别闹到这个地步最好。马陆的身体更偏圆柱形，它们行动迟缓，是对人类无害的食腐动物，也就是说，它们吃腐烂的植物。而蜈蚣则有流线型的身体，是个狂热的猎手。和栉蚕一样，蜈蚣也将一对足变形成了武器，这对足能向外分泌毒液。蜈蚣毒素在小型动物身上作用会更强，对人类来说可能和一般的蜜蜂蜇咬差不多（不过蜜蜂蜇咬可能会引起某些人强烈的过敏反应），而且这还得以蜈蚣的足刺破皮肤为前提。不过……反正我提醒过你了。

气气流变化。它们的猎物小到蜘蛛、白蚁，大到甲虫、蟋蟀，无所不包。当一条栉蚕锁定目标后，它会花时间盯紧猎物的一举一动，因为……毕竟长得像蠕虫嘛，想快也快不了啊，也因为大炮在手，快慢无忧。

用肉眼观察，栉蚕的"黏液大炮"原理似乎很简单——用手指戳戳它们的身体，下一刻黏液就粘住手指了。但若把黏液发射的过程放慢，它们发起攻击的全过程就清晰多了。在发射黏液的过程中，栉蚕的两门"大炮"都在水平摆动，发射出的黏液似乎画出了两道正弦波的图案。此时这对足的摆动并不是肌肉主导的，而仅仅是由于物理学的一个简单的原理罢了，就好像你把水龙头的水流开到最大，橡胶软管也会疯狂摇摆一样——这种摆动甚至能达到每秒 60 次，致使喷出的两道黏液彼此交织，制造出了一种类似霰弹枪射击的效果，比单股黏液射击猎物的力量更强，能把猎物一下子冲击到 8 英寸（约 20.3 厘米）之外。

黏液一旦命中目标就会立即凝固，于是猎物的命运就此终结，挣扎只会起到反效果。而永远云淡风轻的栉蚕此时则会缓缓接近，爬上猎物的头顶，寻找理想的位置"刺入尖刀"——也许蟋蟀的关节不错，那里的外骨骼不是那么坚硬——然后将唾液注入猎物体内，溶解掉猎物的内脏。接着，栉蚕安逸地慢慢吃掉地上浪费了的黏液，吸一吸猎物体内的糜液，吃一吃掉在周围的残肢，最后潇洒离开。

对栉蚕的研究收获最大也最系统的实验是 20 世纪 80 年代，由两名生物学家在特立尼达岛上完成的。他们的实验标本是一种愿意接近猎物的栉蚕物种，栉蚕的进攻战术也被他们详细地记录了下来。首先它们会悄悄靠近猎物，用触角轻轻触碰一番。此番检查非常详细，而且一般还不会引起猎物的怀疑。若对猎物满意，栉蚕则会喷出黏液，速度快到"喷射的瞬间无法监测到，但猎物一下子就被喷满全身了，身上全是坠着小水滴的丝线"。栉蚕通常会一次喷够量，但若猎物坚持挣扎，连续喷上 30 次的案例也是有的，其中大部分"炮弹"都射向了猎物的肢体，若猎物是蜘蛛，则会射向它的尖牙。等到猎物被制伏，栉蚕就会照例给它们注射唾液，然后花上一小时的时间吃掉尸体周围的黏液丝线，最后才将注意力转向猎物本身，而这名猎手八成还会再用 10 个小时来慢慢享受它的战利品。

最后说说栉蚕的黏液。研究人员发现，栉蚕体内平均有 11% 的

水流炮弹

百发百中的炮弹射击并非陆地动物专有的技能，射水鱼也能瞄准在水面之上的红树林里潜伏的昆虫，并发射高速水流将其从树枝上击落。仔细想想，这种攻击方式其实非常难，射水鱼要同时满足两个条件：它们要修正当光线进入水中时产生的折射，将水流射向看起来没有昆虫的地方，还要考虑自己射出的水流不会走直线，重力会把水流扭曲成抛物线。

更让人惊讶的是，射水鱼射出的水流速度会在接近猎物时变快。这听起来似乎不符合物理规律，但其中的奥秘，其实是射水鱼在发射水流时会逐渐加快水流的流速。水流会在空中散开成一个个水滴，后面速度快的水滴在追上前面的水滴后就会再融合，形成一个运动速度更快的大水滴。说真的，这种射击过程与其比喻成射箭，倒不如说是射火箭，所以不如把射水鱼的名字改成火箭鱼什么的，不过我们也不想让它们太得意忘形。

物质都是储存的黏液。这个数字听起来不小，但黏液的"库存"其实很容易耗尽，尤其是面前的猎物体形比较大的话。这很危险，因为它们需要几周时间才能重新集满库存，在这几周里它们无法高效地捕猎，也无法利用黏液让天敌的动作慢下来，形成有效自卫。不过，研究人员还发现，栉蚕可以根据猎物的体形主动调整黏液的用量，将 80% 的黏液都用来捕捉最大的猎物，比如大蟋蟀。

你可以把这个过程想象成投资。听起来有点儿不可思议，但与小猎物缠斗其实对栉蚕来说是很有风险的。要是它们在小猎物身上花费太多黏液，那就相当于投资赔了，因为重新分泌用掉的黏液需要能量，而吃掉小猎物补充的能量不足以抵消这样的消费。在特立尼达岛的实验中，相比于小型猎物，栉蚕对体形更大的猎物产生了更大的兴趣。一顿大餐值得用黏液的消耗来换取，但猎物太大也会出问题。过大的猎物很可能会逃脱，把黏液带走，让栉蚕无法像往常一样，把粘在猎物身上的黏液吃掉，回收回来。因此，如果食物充足，栉蚕会选择体形偏中等的猎物为目标，既不会小到浪费黏液，也不会大到带着宝贵的资源跑路。

人们总是忘记，在自然界，这样的选择往往生死攸关。我相信你肯定从来不曾花时间犹豫过走到街角便利店耗费的能量能不能通过你买回家的啤酒补充回来，但浪费能量，在自然界是要遭报应的，这也正是鳄鱼总是懒懒地一动不动、蜗牛的行动也极为缓慢的原因。植物又不会跳起来跑掉，所以何必着急，浪费宝贵的能量呢？

这个道理讲得通，当然，除非你是蜗牛可你还想吃肉 —— 那你可就得自己多想想别的办法了。

地纹芋螺

问题：一般来说，蜗牛和海螺都跑不快。

对策：捕捉小鱼前，芋螺会先向水中释放化学物质让猎物中毒，然后再慢慢走到猎物身边，张开气球般的大嘴把它们一口吞掉。

1935 年，在大堡礁的一座小岛上，有人捕到了一只地纹芋螺，或者叫它的学名 "Conus geographus"。他把地纹芋螺拿在手心，然后开始用刀刮螺壳外层薄薄的角质层。这只地纹芋螺当然很不爽，于是它就朝他的手心射出了毒刺。中毒的人首先感到手心麻木，10 分钟后，他的嘴唇失去了知觉，又过了 10 分钟，他的视觉出现了重影。中毒半小时后，他的双腿瘫痪，紧接着就陷入了昏迷。4 小时后，死亡降临了。

无独有偶，在首例中毒事件发生仅 3 年后，另一个人也犯下了同样的错误，这次是在非洲附近的另一个岛上。这次的这位也是用刀在地纹芋螺身上剐剐蹭蹭。不可避免地中毒后，他的全身失去了知觉，幸运的是有人发现了他并送他及时就医。医生救活了病人，并建议"外加一次全身按摩"。当然，我坚信按摩对他最终的康复没什么帮助，不过，怎么说呢，倒是也没啥坏处。

你以前可能听说过地纹芋螺，毕竟，这种螺类是地球上最毒的生物之一，向鱼类发射毒刺的速度之快肉眼几不可见。地纹芋螺属于芋螺类中比较少见的一类，叫作"撒网式捕食者"，它们不会以单独一条鱼为目标施放毒刺，相反，它们会攻击整个鱼群。地纹芋螺

让我们好好谈谈螺类

我们讲过非洲大蜗牛（陆生螺类就是我们所谓的"蜗牛"），现在又讲到地纹芋螺，可能会给你留下螺类都很邪恶的印象，但其实它们并不都是这样的，毕竟……是螺类。自然界也有很弱小的种类，比如有这么一种蜗牛，它们吃鸟粪的同时会吃下潜藏其中的某种寄生虫卵。卵孵化后，寄生虫会侵入它们的眼柄，让眼柄胀大，然后再在蜗牛眼柄里"跳舞"。这种寄生虫颜色鲜艳，会让蜗牛的眼柄看起来极像蠕动的毛虫。它们还会操纵蜗牛爬到开阔的地方，方便鸟类来啄食这两条"毛虫"。蜗牛被鸟吃掉后，寄生虫就在鸟的身体里繁殖、产卵，卵再顺着鸟粪排出体外，开启新一轮循环。所以，在螺类大家庭中，既有"小可怜"因为吃鸟粪最终反被小鸟啄了眼睛；也有芋螺这样的狠角色，就因为人类刮了刮它们的外壳就结果了一条人命。这好像也不是很公平嘛。

的攻击过程慢条斯理，极为优雅。它们先在水中放出一片毒素之雾，让鱼群麻痹，然后再从容不迫地爬过来结果猎物的性命。其他海洋猎手大都以速度取胜，而我们的地纹芋螺只有柔软身躯上的一张永远填不饱的嘴。地纹芋螺并不靠"强健体魄"解决捕猎问题，它们靠的是一种化学武器和"毒刺子弹"共同组成的混合式武器，精密又残忍。

地纹芋螺接近被麻痹的鱼群时会有怪事发生，准确地说，是好几件怪事接连发生。首先，鱼群似乎并不惊慌，每条鱼都很冷静，双眼圆睁，一动不动，甚至在地纹芋螺当面张开热气球般的血盆大口时也一样。地纹芋螺张着嘴，慢慢将几条静止不动的鱼整个包起来，这时才朝嘴里的每条鱼分别发射毒刺，毒刺会让它们瞬间瘫痪。最终，地纹芋螺气球般的嘴缓缓收缩，里面的鱼也将迎来死亡。

按理说将死的猎物不该这么放松的，但其实它们都被"下咒"了——地纹芋螺进化出了把胰岛素（insulin）当成化学武器的手段。通过向水体释放大量胰岛素，地纹芋螺让猎物的血糖水平骤降，致使猎物产生低血糖休克（hypoglycemic shock）。鱼的神经系统罢工了，身体也有点儿不听使唤，脑子也思考不过来了，仿佛被催眠了一样，意识被锁死，那感觉就有点儿像"鬼压床"。然而，更加诡异的是，无脊椎动物（比如地纹芋螺）胰岛素和脊椎动物（比如鱼）胰岛素的化学结构是完全不同的，也就是说，除了分泌自己使用的无脊椎动物胰岛素，地纹芋螺还额外制造了脊椎动物胰岛素供捕猎使用。

除了胰岛素，地纹芋螺用于麻痹猎物的毒液还有其他有毒成分，专门研究芋螺毒液的生物学家巴多米奥·奥利维拉（Baldomero Olivera）将这种混合毒液命名为"涅槃阴谋"（nirvana cabal，"涅槃"就是字面意思，至于"阴谋"，根据奥利维拉的解释，不同的有毒成分共同作用，麻痹一条鱼，就像是一群人一起使用阴谋毒害政府一样）。地纹芋螺会使用毒液中的几种多肽来进一步麻痹鱼类，这几种多肽能阻碍鱼类神经信号的传递。曾有研究人员将其中一种多肽用于临床治疗癫痫，这种疾病正是由于大脑的不正常放电造成的。

综上，地纹芋螺首先"催眠"鱼群，然后把几条鱼吞进嘴里。但在猎物入口后，它们还得"扣响最后的扳机"。在芋螺体内有大约20根毒刺，毒刺与毒腺相连，其本质其实是变了形的牙齿。地纹芋螺先将一根毒刺射向一条麻痹的鱼，然后重新"装弹"，再依次向下一条发射。这是一场嘴里的屠杀。芋螺这时使用的毒液，又叫"马达阴谋"（motor cabal），在足量的情况下可以杀死一个成人。鱼类中毒后，神经元细胞会直接"短路"，导致神经对肌肉失去控制能力，其最终死因很可能是窒息，因为鱼类必须利用肌肉吞水，让水流流经鱼鳃才能呼吸。

地纹芋螺还有个更加出名的近亲——吊钩芋螺（hook-and-line cone snails）这种芋螺采取的捕食方式完全不同。它们会以单独一条鱼为目标发射毒刺，因此会产生不同类型的毒液。当它们用毒刺射向猎物时，所使用的第一种毒素名叫"闪电阴谋"（lightning

---

杀人凶器？据说……是胰岛素

地纹芋螺也许是第一个把胰岛素当武器的动物，但绝不是最后一个。20世纪80年代，在美国东海岸的富人圈发生了一起下毒杀人案，而凶器则被怀疑是胰岛素。一名女佣发现了名媛玛莎·冯·布洛（Martha von Bülow）低血糖发作，在一间上了锁的浴室中痛苦呻吟，而名媛的丈夫克劳·冯·布洛（Claus von Bülow）却拒绝求救。后来，在玛莎体内，人们检测出了大量胰岛素。

一年之后，玛莎再次休克，但这次她没有恢复过来，陷入了昏迷。一名调查人员来到他们的豪宅进行调查，发现了几个皮下注射器，并检测出了镇静剂和胰岛素残留，克劳因此被捕。审理后，克劳被判杀人未遂，但又在后续的上诉中被判无罪。而玛莎则在昏迷30年后辞世，也带走了案件的真相。

cabal）——这个名字恰如其分（这种毒素也是多种化合物成分混合而成的，这类芋螺中有些种类的"闪电阴谋"毒素，其成分甚至有多达200种，而且每种芋螺的"配方"也不同）。"闪电阴谋"毒素破坏鱼类神经元的效果和"马达阴谋"毒素类似，但区别在于"马达阴谋"让神经元短路，而"闪电阴谋"让神经元过载。过载的神经元会一个接一个被烧坏，让整条鱼像是被闪电击中一般，不由自主地颤抖、抽搐。"闪电阴谋"会让猎物无法动弹，以便芋螺把它们吃进嘴，然后再释放"马达阴谋"将猎物杀死。相比之下，"撒网式捕食"的地纹芋螺就不需要"闪电阴谋"。地纹芋螺在接近鱼群之前就已经将鱼群麻痹了，于是就可以毫不费力地得到猎物。再说，如果地纹芋螺使用"闪电阴谋"来麻痹鱼群，那它就得把一群不停抽搐的鱼收入口中，无形中增加了受伤的可能性。地纹芋螺想要的一切都近在眼前，因此就没必要"降下闪电"了吧。

总结一下，各类芋螺的武器都是相当复杂、有力的，这些武器的进化也花费了一代又一代的时间。因此，记住——没事儿别拿小刀去冒犯螺类，除非你也想让医生给你开一次"全身按摩"。

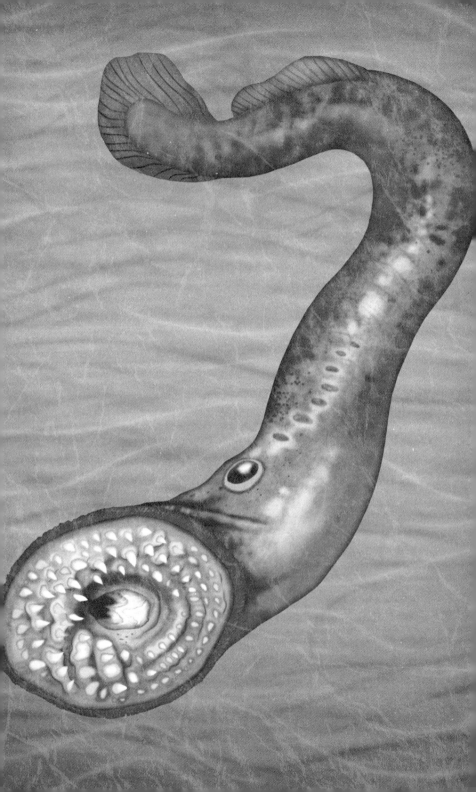

七鳃鳗

问题：鱼类都不喜欢创伤性寄生。

对策：七鳃鳗长得很像《星球大战》电影中吃掉波巴·费特的那种沙漠生物，它们长有圆盘状的嘴，嘴里有好几排倒钩一样的牙齿。七鳃鳗常常吸附在猎物的体表，用牙齿深深钩进猎物的骨头。

天上下青蛙的事情不算稀罕，但天上下长牙的肉肠可就不一样了。2015 年 6 月，阿拉斯加渔猎部接到当地居民电话，声称人们在费尔班克斯市附近一些不寻常的地点发现了北极的七鳃鳗。有人在一个停车场里看见了这种长得像鳗鱼的动物，长着用来吸食其他鱼类血液的吸盘状大嘴 —— 停车场，这可不是它们的自然栖息地。还有人在草坪上看到了一条，还有两条在镇子里。通常，水龙卷是造成水生动物从天而降的主要原因，而当时并无相关报道出现。不过，渔猎部的官员们还是找到了一条关键的线索：这些七鳃鳗的身上都有"V"字形的伤痕 —— 海鸥的咬痕。也许在附近的河里有很多条七鳃鳗，也许它们是海鸥的美食，也许这些七鳃鳗是被海鸥带到半空又掉下来的，因此才出现了费尔班克斯天降吸血动物的奇观。

在美国那头的五大湖区，七鳃鳗就不仅是从天上掉下来几条这么简单了。在那里，七鳃鳗属于入侵物种，极大地影响了当地鱼群的数量。20 世纪的某段时间，当地渔场平均每网鱼中七鳃鳗的数量甚至可以占到 2%。人们也曾采取过相应措施将入侵物种的数量控制在一定的水平之下，但没有人敢奢望它们完全消失。五大湖区支流密集，而政府部门又资金短缺，因此政府也只能寄望于持续抑制，毫无根除之策。

七鳃鳗的故事最早还得追溯到 3 亿 6000 万年以前，我们发现过来自那个时代的七鳃鳗化石，而化石中的七鳃鳗和现存的物种几乎没有差异。简单地说，这简直让人不敢相信。最早的生命诞生于 5 亿 7000 万年前，最早的哺乳动物诞生于两亿年前，经历了沧海桑田的变化，那些早期的生命早已和如今地球上的一切相去甚远了，可七鳃鳗却在经历了每一次生物大灭绝之后，依然保持着和诞生之时相差无几的容貌，一直生存了将近 4 亿年的时间（七鳃鳗唯一的近亲是我们熟悉的盲鳗。盲鳗也是很古老的物种，两者有许多共同特点，比如全身的骨架中只有软骨，没有硬骨）。

有些七鳃鳗喜欢吸在宿主身上，吸食血液，而另一些则更喜欢

你管谁叫"化石"呢？

在形容七鳃鳗或者其他古老生物的时候，你可能经常会听到"活化石"这个词，但其实这个词是不恰当的。"活化石"的形容会让人感觉今天的七鳃鳗和 3.6 亿年前化石中的七鳃鳗完全相同，这当然不可能。那时的七鳃鳗并没有一丝未变地活到今天，并没有丝毫不变地度过多次地质灾难、气候变化，也没有丝毫不变地挺过新捕食动物的出现、活过猎物物种的灭绝。"活化石"听起来就像和化石中的祖先毫无二致，但在进化的过程当中，七鳃鳗也和周围环境的变化一起产生了一些不太明显的变化——如果你愿意把陨石撞地球仅仅称为"变化"的话。

大口吃肉。这些吃肉的品种更进一步，能把大块大块的肉咬下来，给宿主身上留下一个个裂开的伤口，宿主很可能会死于因伤口造成的失血或感染。所有七鳃鳗都长有"口盘"（oral disk），这是它们的嘴，里面有数十颗倒钩一样的尖牙，这些牙齿能让七鳃鳗紧紧钩住猎物（口盘边缘有吸盘状的特殊结构，也能起到辅助作用）。和鲨鱼的牙齿类似，七鳃鳗的牙齿掉了还能再长，而且再生得还很快——入侵五大湖区的那些吸血的品种，又叫"海生七鳃鳗"，在两年的时间里可能就要换掉30口牙。

将食肉及吸血的两种七鳃鳗分开的，是一个叫作"活塞"（piston）的结构。活塞位于口盘的中心，功能相当于舌头，但其上也覆盖有牙齿：一颗上下活动，另外两颗左右活动，工作原理类似一台高级的锉。吸血的七鳃鳗，活塞上上下活动的牙齿呈"W"形，能够锉穿鱼肉，吸食血液。这类七鳃鳗还能分泌一种抗凝血剂，以确保血流通畅。而与之相对的食肉七鳃鳗，它们的活塞上则长有"U"形的牙齿，用来撕掉鱼肉（你可以把前者的口盘想象成砂纸，后者的想象成凿子）。七鳃鳗的口盘效率奇高，在五大湖区，一条海生七鳃鳗在一年内就能杀死40磅重的鱼，7条被攻击的鱼中平均只有1条能够幸存，给渔业造成的损失极大。

然而，渔场里的损失最终还得归咎于人类自己。你也许已经在疑惑了，为什么海生七鳃鳗会入侵淡水湖呢？原因其实很简单。海生七鳃鳗需要在淡水中繁殖。它们会以无害的幼体形式在淡水中生存7年。这段时间，幼体的嘴仅仅是个软塌塌的空洞，用来吞食路过的浮游生物。等到发育成熟，七鳃鳗就会游向海洋开始攻击鱼类，但还要回到淡水中产卵（有趣的是，是幼体通过分泌激素引导着成熟的七鳃鳗从大海返回最适繁殖地的）。20世纪初，人类决定打通一条绕开尼亚加拉瀑布的运河航线，而尼亚加拉瀑布正是阻挡七鳃鳗进入五大湖区的天然屏障。因此，亦能在淡水中生存、繁殖的海

热爱七鳃鳗的两位亨利

七鳃鳗的生活习性暂且不提，它们可怕的长相似乎并没给欧洲皇室造成什么困扰。1135 年，亨利一世国王访问诺曼底，据说他就是在一场宴席中吃了太多的七鳃鳗后被撑死。其后人亨利五世似乎并未纠结于祖辈的命运，在访问诺曼底时依然点了这道名菜。

甚至在 2012 年伊丽莎白二世女王的钻石婚庆典上，格罗斯特市也献上了这道传统的皇家七鳃鳗馅饼。只不过这次用的不再是产于英国本地的七鳃鳗，因为在现代英国几乎已经找不到这种动物了 ——这和美国的情况截然不同。因此，一名来自五大湖区渔业委员会的代表提前飞到了英国格罗斯特，把美国的七鳃鳗送给了他们。美国人减轻了负担，英国人做出了馅饼，啊，一次完美的外交。

生七鳃鳗便抓住了这个机会。一道关口被打开了，五大湖区的生态永久地改变了模样。

这就是入侵物种的可怕之处了。五大湖区的生态系统在没有七鳃鳗的情况下进化了数百万年，而这种动物一出现，就打乱了原有的复杂生物网的秩序，问题迅速暴露，受害者却没有足够的时间寻找解决的对策。一个生态系统就像一盘维持着多方平衡的精妙棋局，一种捕食者进化出一种武器，它的猎物就进化出一种相应的自卫办法，两者的关系是一场相互制约的精彩比拼。当然，在进化的历程中，出于自然的原因，新物种被带入一个生态系统的情况也是不可避免的，比如一种鸟被飓风带上一座孤岛，然而人类的发展也帮助了太多的物种"环游世界"——贝类混在压舱物中被装上轮船，植物的种子粘在靴子上被带走……海生七鳃鳗只不过是利用了我们免费提供的生存机会而已。

美国和加拿大五大湖区动物保护部门的官员与七鳃鳗之间的战争从未停止。他们手上有许多种武器，比如一种名为"七鳃鳗杀灭剂"（lampricide）的毒药，专门以七鳃鳗为目标，对鱼类没有伤害。在七鳃鳗洄游的路上建立障碍物也是有效的策略，但最有创意的办法还是"七鳃鳗集体绝育术"。研究人员需要先捕获一群七鳃鳗，然后放生雌性，对其中的雄性进行化学阉割。不育的雄性七鳃鳗回归水体后将与其他雄性竞争交配权，却无法真正实施交配。这种方法听起来有些难实现，却能有效地控制七鳃鳗的种群数量。反正，阉割几条七鳃鳗也没什么不好的吧。

猎蝽

问题：许多昆虫很难活捉。

对策：猎蝽利用其超长的针状口器刺穿猎物，吸食猎物的糜液，最后还要把猎物的尸体背在背上当作伪装。

也许生物进化的力量中最精彩的矛盾就是随机性和秩序性的矛盾。在你和你的兄弟姐妹体内，来自父母双方的基因是随机进行组合的，但你所拥有的性状让你在自然选择中处于优势（或劣势），却是出于非常明确的原因的。食物链看似混乱，但其中亦有秩序——狮子永远捕食兔子，而兔子是不可能反过来捕食狮子的。狮子之所以是狮子，兔子之所以是兔子，都是因为随机的基因突变造就了它们各自的物种——地球上所有的物种其实都是如此。因此可以说，秩序性从随机性中产生。

所以看起来，达尔文在南美考察的途中遭遇了一种非常常见的"敌人"——猎蝽，就完全说得通了。猎蝽有一个巨大的吸管状口器，可以插入猎物的身体，吸干猎物的血液。"夜间，我感觉自己被名叫'Benchuca'的虫子攻击了（至少我得把它的名字记下来）。该物种属于猎蝽属（Reduvius），是在潘帕斯草原上常见的黑色昆虫。"达尔文在《"小猎犬号"航行日记》中写道，"这虫子大约 1 英寸（约 2.5 厘米）长，又软又没有翅膀，爬到身上的感觉令人作呕。吸血之前它们还很瘦小，吸饱了血就变得又圆又肥了，很容易被压扁。"

达尔文的叙述还没有结束，可接下来的内容与其说是博物学，倒更像是科幻电影里的情节。他在智利时抓到过一只猎蝽——饥饿

的猎蝽 —— 然后把它带给了几个朋友看。"我们把它放在了桌子上。就算周围围着一大圈人，只要你把手指伸到它面前，这只天不怕地不怕的虫子就会立马举起口器，一口扎下去，如果你不阻止它，就开始吸你的血。"猎蝽的攻击并不痛苦，达尔文表示，有一位军官在桌边足足喂了猎蝽 10 分钟，这 10 分钟里，它"从一块薄饼的样子

"这条船怕是着火了，你来看看怎么办吧！"

我还要再说一次，达尔文和华莱士的探险之旅，条件的差异真是太大了。猎蝽着实把达尔文折磨了一番，但华莱士的船可是遇上了火灾的，烧了个精光，连船都沉没了。

从南美考察完毕回伦敦的途中，发着高烧的华莱士正坐在船舱里休息，却发现船长突然从门缝里伸头进来，非常云淡风轻地通知他："这条船怕是着火了，你来看看怎么办吧！"那时，整条船上的火灾已经很严重了。华莱士最终成功登上了救生艇，可他只带上了几本笔记和素描，无奈留下了无数箱标本葬身火海。抓着绳子爬上救生艇的时候，华莱士还烧坏了自己的手掌。成功逃生后的 10 天里，毒辣的阳光炙烤着他们的后背，拥挤的小艇里连蜷起身睡一觉的地方都没有，直到一艘前往英国的大船碰巧经过才救了他们一命。可即便如此，他们在回程的路上却遇上了暴雨，一行人差点儿饿死。终于回到故土之后，华莱士才开始补充失去的营养。"终于上岸了……多么丰盛的晚餐！噢！"他在一封信中如是写道，"牛排、李子馅饼，饥饿的罪人简直上了天堂。"罪人？天哪，您可对自己好点儿吧。

变成了球"。

　　说真的，没什么昆虫比猎蝽更聪明、更凶猛、更吓人了，其实它们就像是巨大的蚊子。在流星锤蜘蛛等待猎物、虎甲追逐猎物的时候，近7000种猎蝽已经采取"忍者"的战术捕猎了。它们善于潜伏，会打伏击，懂得一切狡猾的战术，但一切战术都围绕着它们最主要的武器——长长的喙展开。猎蝽用喙刺进猎物的身体，一旦喙穿破猎物的皮肤或外骨骼（是以哺乳动物还是昆虫为捕猎对象，要看猎蝽的具体种类），它们就会收起包裹在喙外层的鞘，露出真正的口器。此时，猎蝽会释放一种毒素让猎物瘫痪，同时让猎物的体内组织化为液体，却还留着猎物的性命，然后猎蝽就能"大吸一顿"了，而这整个过程中，猎蝽都不需要把猎物从嘴上拿下来。

　　在猎蝽的所有捕猎战术中，最神奇的我认为莫过于"背起你的敌人来"。在吸干蚂蚁等猎物体内的糜汁后，有些种类的猎蝽会把猎物的尸体背在有黏性的后背上，最终积攒成一座小山。这小山甚至能比猎蝽本身还高，让它们看起来像是个背着礼物的圣诞老人似的，只不过这礼物肯定没人想要罢了。如此这般，猎蝽在自己的捕食者眼中肯定就不再受欢迎了，而且，通过在自己身上叠加猎物的气味，它们还能更轻松地潜伏在猎物的身边。

　　另一种猎蝽，做出以上行为不仅是为了伪装那么简单。白蚁会筑造山一样的蚁穴，蚁穴会散发白蚁的味道，因此这种猎蝽并不会将白蚁的尸体堆在背上，它们选择背起蚁穴的建筑材料，从而"消失在背景当中"。"消失"之后，它们会先刺穿并吸干一只白蚁，然后把尸体留在口器上，伸进蚁穴。这会引起蚁穴的骚乱，倒不是因为手足之情什么的，而是因为，社会性的昆虫会本能地对生病或死亡的同伴做出反应，把这些同伴移出巢穴，就像被"洗脑真菌"攻击的蚂蚁和被寄生性蚤蝇攻击的火蚁一样——而这，正是猎蝽等待的时刻。任何赶过来的白蚁都会被猎蝽刺穿、吸干、挂在口器上，

怕蛇？怕蜘蛛？以下物种为您推荐

虽然在猎蝽家族中，有种善于诱敌的毛猎蝽在对付勇敢的蚁群时很有一套，但下面这种名字拗口的蛇才是自然界最恐怖诱饵的拥有者——生活在伊朗的蛛尾拟角蝰。你可以想象一条响尾蛇，尾巴尖虽然不会响，但长得非常像一只蜘蛛，有一个球形的"肚子"和周围侧枝一样的"腿"。这种蛇平时会把自己盘起来，摇动尾巴尖，引诱周围饥饿的鸟。一旦有猎物上钩，它们就会给这些可怜的吃货注入毒液。也许蜘蛛尾巴看起来没有猎蝽的腿毛时尚，不过，还有什么比蜘蛛和蛇的组合更酷的呢！

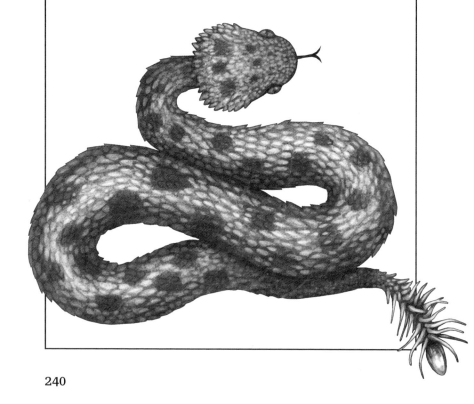

一只接一只，最终会有数十只接连上当。

还有一种善于引诱猎物的毛猎蝽，这种猎蝽不引诱蚂蚁，而是等待蚂蚁来攻击它们，这么冒险的战术在自然界是非常罕见的（像鮟鱇一样支起诱饵没问题，但猎手并不想在这个过程中送命）。毛猎蝽的后肢上长有又长又细的绒毛，它们会把自己伪装成正在觅食的蚂蚁，然后快速抽动后肢。当有工蚁前来检查时，它们也不动声色，直到体形更大的蚂蚁前来试图把"战利品"拖走时，它们才会进攻，攻击方式如常——它们会转过身，将喙刺入蚂蚁的后背。

攻击人类的猎蝽，又叫"接吻虫"，顾名思义，它们会受到人类呼出的气体的吸引，经常叮咬口腔周围的位置。这种攻击方式不算聪明，却非常致命——致命的并不是叮咬时留下的伤口，而是猎蝽排出的粪便。如果你抓挠伤口，伤口周围的粪便便会落入伤口中，给你传播一种原生动物寄生虫。这种寄生虫能导致南美锥虫病（Chagas' disease），引起循环系统和消化系统的病变，其症状甚至可能在叮咬后几十年才显现。

一些学者认为，可能正是在南美洲期间被猎蝽传染了这种疾病才最终导致了达尔文的死亡。尤其在晚年，达尔文一直被慢性健康问题折磨着，症状包括疲劳、呕吐、腹痛。还有人说他的死因是克罗恩病（Crohn's disease），另一些人又说是一种叫"周期性呕吐综合征"（Cyclical vomiting syndrome）的病，甚至说是有乳糖不耐症的人都有，各种说法不一而足，这一话题目前仍有争议。

不过，可以确定的是，1882年4月19日，达尔文迎来了所有生物都要面临的最终结局——死亡。这一天，人类历史上最伟大的一组随机组合的基因走向了终结。曾经为他的伟大理念奋斗过的人们计划将他安葬于威斯敏斯特大教堂，这让宗教界人士大为光火，但在经历一番奔走之后，达尔文还是长眠在了那里。

学术界、宗教界和政界的多名巨头出席了达尔文的葬礼，10名护柩人抬着他的灵柩缓缓前行，其中便有达尔文的挚友，身材清瘦的阿尔弗雷德·华莱士。华莱士以及他肩扛的过世伟人共同发现了人类历史上最重大的理论，进化论既先进又激进，让宗教人士纷纷抓狂，可进化论同时也正确无比、无可辩驳，就是再虔诚的教徒也只得接受达尔文的思想遗产。以达尔文为代表的一众进化论者打破了维多利亚时代田园诗般的幻想，坚称生存是所有生物共同面对的一个大问题。所有生物终将消逝，你在猎蝽面前毫无还手之力也好，忍受着乳糖不耐症的折磨也好，有什么其他毛病也好，你终归还是很擅长为生存问题找到解决对策的。就算我们身上没有毒刺的保护，不会将他人的尸体为己所用，也不会喷出黏液呛死敌人，但想开点儿吧，至少我们从不曾独自奋斗。

写在最后的话

看了这本书，你可能就会明白，生存，就是一条走向死亡的路。毁灭会从头顶上来，会从脚底下来，从四面八方来，可能来源于寄生虫、捕食者，也可能来源于环境本身。数亿年来，生命在这个星球上繁荣发展，在各类生物中，也有不少如今已经从地球上消失了，当然，这不是因为这些生命不够努力。为了生存，为了繁殖这个终极目标，动物们可以做到无所不用其极。在进化过程中，碰巧也好，有意也好，它们不断遇到问题，也不断找到对策，它们不停进化，沿着各自不同的道路发展到极致。能与它们共享这个星球，是我们的荣幸。

动物的很多行为让人类震惊——它们能把胰岛素或者黏液当作武器，能对蚂蚁和毛虫进行"精神控制"，还能用阴茎或胡须进行搏斗，而且更加令人难以理解的是，这些行为居然都是自发出现的。嘭！最原始的微生物出现了，剩下的一切似乎都顺理成章地自动排列了出来，没有"上帝之手"控制整个过程，没有明确的目标指引方向，有的只是不同物种之间的竞争和生物与环境之间的博弈。动物们为异性制造争端，为猎物制造麻烦，然后异性和猎物就会反过来想出对策，解决问题，最终的结果就是速度变快，体格变强，或者体形变大变小。通过进化，动物适应了周围变化的一切。

人们常常会以为现在的动物已经进化到了终点，但这是不对的。所有的生物都会一直进化下去，这个变化有时就发生在我们的眼前。谁也不知道指猴的手指会不会继续变长，也不知道宽足袋鼩的"狂欢"以后会不会更加疯狂，但可以保证的是，如今，进化的力量遇到前所未有的复杂因素了，那就是人类。

地球从没见过人类这么强大的力量。我们能劈开山峰，能挖掘深洞，还能改变气候，甚至把大海污染得谁都不认识。我们把无数生物逼至灭绝，让其他生物命悬一线。人类是地球面临的最大问题，总有一天，也会有生物想出"解决"我们的对策，适应新环境，成功生存下去。比如，一定会出现能够抵御气候变暖、海洋酸化的动物，它们将会幸存，得到机会传递自己的基因。

玛丽亚·西比拉·梅里安、查尔斯·达尔文、阿尔弗雷德·华莱士都是博物学的开路先锋，但早在他们之前，博物学就已经是非常重要的学科了。拯救被我们危害的动物，前提是了解它们。因此，布莱恩·费舍尔才会举着 iPad 穿越丛林，寻觅耳巢拟盘腹蚁的踪迹；因此，蒂尔尼·蒂丝才会在海中追踪翻车鲀，为它们做好标记，在一日一变的大海中研究它们的活动；因此，玛利亚拉·苏佩雷娜才会继续在阿根廷的大沙漠上孜孜前行，只为一睹神秘的倭犰狳真容。除了他们三人，还有无数科学家正在奋斗，力图更深地了解我们居住的星球。

也许，也许我们将会自己解决自己制造的问题，谁知道呢？当然，我的意思不是说人类要自我了断。进化给了我们巨大而灵光的大脑，也许我们能找到对策，继续住在这个星球上，而不是继续毁灭它。毕竟，要是地球真的毁灭了，我们就只能跑到其他星球去了。

不过，真到了那时候我们还可以带上几只水熊虫作伴。然而这么做好像有点太任性了，是吧？

致谢

　　我的爷爷奶奶住在山区，远离城市，那里生活着一类名叫"动物"的生物。比如说，爷爷给小时候的我讲过，蝙蝠既会挂在家门口篮球架的篮板上，也会从家里的车库里成群结队地飞出来，我们从没下功夫去除过它们。我记得我好像建议过，但最终它们还是在那里扎下了根，可能还嘲笑过我呢——蝙蝠都这样。

　　谢谢你们，爷爷、奶奶，谢谢你们让我见识了充满奇妙生物的世界。爸爸，我们在公园里看见那只长满虱子的小兔时，谢谢您救了它。它太可怜了，可浑蛋的我后来居然给这只兔子起名叫"小虫"。妈妈，谢谢您的妙语连珠，您的那些名言要么陪伴读者读完了全书，要么就让读者连第一章都读不下去。至于那些读完全书的读者，你们真够能忍的，谢谢你们。谢谢你，梅丽莎，谢谢你让我记录你们家孩子在草坪上方便的逸事，从此这件事可能就要写入他的个人档案了。

　　我要特别感谢我的超级经纪人大卫·福格特。我始终不懂你怎么会有激情做这种工作，但你真的堪称大师。我还要感谢企鹅出版社的编辑麦格·莱德，你把我脑中不成章法的词句变成了这本通顺的书。你是个优秀的编辑。你也是，香农·凯利，我讲冷笑话的时候你笑了，谢谢你。

　　布莱恩·陈，你做了什么自己心里清楚。

　　噢，抱歉，说得好像你在酒吧捅过我一刀似的。我是想说，我真的很感谢你的贡献。

　　我向《连线》杂志的全体人员致敬。感谢贝特西·梅森，是你给了我这个不成熟的建议（应该说是太不成熟了），让我在杂志上写专栏。感谢查克·斯科特里吉利亚以及你那群养眼的编辑，但你对金属摇滚的品位实在是太不"养眼"了。

接下来，我还要感谢那些审阅过书稿的科学家：电台主播、山羊之友丹妮尔·温顿，丛林行者、马的伙伴纳迪亚·德拉科，还有这位卓越的昆虫学家——格温·派尔森，她的志趣更高雅，不爱与羊啊马啊之类的哺乳动物为伍。

我要感谢每位帮助过我的生物学家，谢谢你们为我指出错误，谢谢你们接我的电话、回复我的邮件、接受我的采访。你们中有些是好人，也有不少浑蛋，不过每个人都给我带来了不少新知。我谦恭地向你们致敬，你们每个人都让我变好了一点点。

最后，感谢书中所有出场的动物。我知道你们看不到这句话，但不说出来，我还是于心不安。